GUIDE TERRESTRE ou La Terre et Ses Singes

by Joseph F. Conroy

Dedicated to serving

our nation's youth

When ordering this book, please specify either
R 101 P or **GUIDE TERRESTRE**

Amsco School Publications, Inc.
315 Hudson Street
New York, New York 10013

A mon père

ISBN 0-87720-461-6

PRINTED IN THE UNITED STATES OF AMERICA

Preface

Extraterrestrial visitors at a French circus, superintelligent porpoises, a demonic Power unleashed from its tomb, a tribe of sages seen through the mists of Canadian folklore—these are among the unworldly protagonists encountered in the tales that comprise this anthology. *Guide Terrestre* is a tourist guidebook for alien visitors to Earth who are preparing for their first confrontation with homo sapiens. By an odd coincidence, it is also suitable as an intermediate reader for earthbound students of French.

Guide Terrestre, ou la terre et ses singes consists of five stories, a play in three acts, and a group of poems. Each of these seven *lectures* is followed by a vocabulary (French defined in French) and a set of exercises. The exercises include instruction and drill in various grammar topics usually taught in second- and third-year courses. Special attention is given to the formation and use of the *imparfait* and the *passé indéfini*.

The Glossary at the end of the book gives the English meanings of the more "difficult" words and expressions that occur in the text.

This reader is designed primarily to augment the student's knowledge and mastery of colloquial French. It is offered in the hope that he will also find it a source of fun.

—The Author

Table des Matières

Un Gorille, ce n'est pas toujours un gorille

I

BIP! BIP! BIP! Le signal sonne partout dans le vaisseau.

— Mon capitaine! Nous nous approchons de la planète!

— Merci bien, Nachaine. Navigateur!

— Oui, mon capitaine!

— Quelle est notre position, s'il vous plaît?

— Nous sommes actuellement à 3000 *kindracs* de la planète. Nous arrivons en orbite dans une heure.

— Très bien. Nachaine! Je veux parler à tout le monde!

— Oui, mon capitaine! C'est prêt.

— Merci. Attention, attention! Ici le capitaine. Nous sommes près de notre destination, camarades. Après huit mois de voyage, le *Chercheur* s'approche de cette troisième planète où nos scientifiques nous disent qu'il y a une civilisation un peu comme notre civilisation antarienne. Dans une heure nous allons être en orbite. Alors, nous allons envoyer trois volontaires à la surface. Si vous désirez vous porter volontaire, parlez à votre officier. Fin de communication!

Le *Chercheur*, plus grand qu'un porte-avions, plus vite que la lumière, entre dans le système solaire et va directement vers la Terre. L'astronef vient de la huitième planète d'Antares. Les Antariens sont des gens civilisés, pas du tout comme les habitants de Sirius IV. Ils viennent faire des recherches scientifiques.

Le vaisseau a la forme d'un long cylindre. Il y a l'hémisphère de commandement au bout antérieur et les doubles cônes propulsifs au postérieur. Comme le *Chercheur* fait son cinquième tour de la Terre, une énorme porte au milieu d'un côté s'ouvre et un petit vaisseau en forme de disque sort. Après un peu, il descend vers la surface. L'exploration de la Terre commence!

Près d'Avignon, les gens du cirque Rocher-Ferandot sont campés dans un pré. Les voitures pittoresques du cirque forment un demi-cercle autour de la grande voiture rouge du patron, M. Rocher. A gauche, il y a la grande tente où on présente les spectacles. Maintenant, tout est calme, tout est silencieux. Il n'y a personne à voir. Les animaux exotiques dorment dans leur cage. Mais qu'est-ce que c'est? Tous les animaux ne dorment pas! Jocko, l'énorme gorille noir, est debout près de la porte de sa cage. Que fait-il? Il essaie de l'ouvrir! Jocko est bien fort; il s'appuie contre les barreaux et après un peu la porte est ouverte! Le gorille sort de sa cage et court vers les bois. Personne ne sait qu'il est parti.

A quatre heures du matin, le petit disque de débarquement qui est sorti du *Chercheur* atterrit. Les scientifiques font des expériences tout d'abord pour savoir si l'atmosphère terrestre contient des poisons. Après quelques minutes, ils sont certains qu'un Antarien peut la respirer.

— L'air ici contient beaucoup d'oxyde de carbone, annoncent-ils. — Nous avons de la chance! Et ils commencent à faire des plans pour la première exploration à pied.

— Alors, mes camarades, dit Achique, le pilote, il nous faut mettre un déguisement! Les habitants intelligents de cette planète sont bien différents de nous autres Antariens!

— Mais quel déguisement, Achique? demande Couchir, le copilote. Comment est-ce que nous pouvons passer sur les routes sans causer des réactions hostiles?

— Je ne sais pas, moi. Que dis-tu, Ilambine?

— Eh bien, cherchons un animal ordinaire de ce pays, un animal assez grand. Nous pouvons alors copier sa forme pour en faire un costume. On peut comme ça explorer ce pays sans peur.

— Brillant! Couchir, va à l'écran de radar! Cherche un animal près de nous!

— Oui, Achique, tout de suite!

Première partie: vérification

I. Vocabulaire

un *kindrac*	mesure antarienne (1 *kindrac* = 25 000 km)
antarien	du système solaire d'Antares
se porter volontaire	to volunteer

un porte-avions	grand bateau qui sert à transporter des avions d'une force militaire
un astronef	vaisseau destiné à traverser l'espace
oxyde de carbone	un gaz émis par le moteur d'une voiture
au milieu	au centre
un pré	un champ
vers	dans la direction de
atterrir	arriver sur la Terre

II. Travaux pratiques

A. Comprenez-vous l'histoire? Alors, répondez à ces questions!

1. Quel vaisseau s'approche de la Terre?
2. Pour quelle raison vient-on au système solaire?
3. Décrivez le *Chercheur*. (Décrivez = donnez une description.)
4. Comment descend-on du *Chercheur*?
5. Qu'est-ce qu'il y a près d'Avignon?
6. Tous les animaux, dorment-ils?
7. Décrivez Jocko. Que fait-il?
8. Où atterrit le disque?
9. Comment va-t-on explorer cette partie de la Terre?
10. Pourquoi?

B. Dans le texte il y a la forme *nous nous approchons*. Vous connaissez déjà ces formes où il y a deux pronoms, n'est-ce pas? Alors, quelle est la forme pour:

1. Il __________ de la Terre.
2. Je __________ du disque mystérieux.

3. Vous __________ des monstres verts.
4. Tu __________ du vaisseau.
5. Elles __________ de la voiture.

C. Quels animaux exotiques peut-on trouver au cirque? Donnez des exemples, des dessins ou des descriptions.

D. Voilà les titres de quelques personnes d'un avion (ou, suppose-t-on, d'un astronef!). Que font ces personnes?

1. un pilote
2. un copilote
3. un navigateur
4. le capitaine
5. l'officier de communications

E. Jouons un peu avec les mots de vocabulaire!

1. Pouvez-vous trouver dans le texte deux préfixes qui signifient *1/2*?
2. Quelles expressions françaises savez-vous qui emploient le mot *tour* (un tour) dans leur formation?
3. Cherchez le contraire de
   a. débarquement
   b. intelligent
   c. camarade
   d. au milieu
   e. aller vers
4. Parlez des déguisements possibles que peuvent employer les Antariens en explorant la Terre.
5. Qui sont les trois Antariens qui atterrissent?

F. Sujets de discussion (employez votre imagination)

1. Que savez-vous d'Antares? Où est-ce?
2. Parlez du plan intérieur du vaisseau des Antariens.
3. Décrivez les Antariens.

Eh bien, retournons à nos amis les Antariens et au pauvre Jocko!

II

Pauvre Jocko! C'est la première fois qu'il visite la France en liberté! Il ne sait pas où aller car son Guide Michelin est toujours dans sa cage. Il pense aux bananes qui sont aussi dans sa cage, il pense à ses jouets favoris, il pense à la vie de cirque. Il veut rentrer, mais il ne peut plus trouver le chemin.

Sans le savoir, Jocko passe près du vaisseau antarien. Les scientifiques étrangers (bien étrangers, n'est-ce pas?) le voient et l'immobilisent par un rayon de lumière. Puis, ils portent le pauvre Jocko dans le vaisseau. Là, Achique lui donne à boire et voilà un gorille qui dort!

Aussi vite que possible, on fait un costume qui ressemble beaucoup à Jocko. Puis, les trois Antariens tirent à la courte paille pour savoir qui va sortir. C'est Couchir! Alors, il met le costume de gorille.

— Mon Dieu! Comme tu es laid, Couchir!

— Oui! Quelle planète! Imaginez! Ces bêtes vont partout dans les bois!

— Assez, assez! Ouvre-moi la porte, Ilambine! Je veux en finir avec cette exploration!

La porte ouverte, Couchir sort du vaisseau et va vers la route départementale qu'il voit tout près.

C'est le matin; le soleil se lève lentement à l'est. Guy Brézanche, acrobate au cirque Rocher-Ferandot, passe devant la cage de Jocko.

— Bonjour, mon vieux! dit-il. Mais le gorille ne

répond pas. Surpris, Guy regarde dans la cage. Le gorille n'est pas là! L'acrobate court à la voiture du patron.

— Qu'est-ce qu'il y a, Brézanche? demande M. Rocher.

— C'est Jocko! Il n'est pas dans sa cage! Il est sorti!

— Quoi! Hé là! Tout le monde! Jocko a disparu! Allons vite le chercher!

En quelques minutes, tous les gens du cirque sont devant la voiture de M. Rocher. Le patron les divise en quatre groupes, puis les gens vont à la recherche du gorille perdu.

Pendant ce temps, l'Antarien en costume de gorille s'approche du cirque. Il parle à ses deux camarades à la radio et leur dit ce qu'il voit. Bientôt il entend les voix d'un groupe d'hommes. Il se cache derrière un arbre. Le premier groupe passe sans le voir.

— Il y avait à peu près dix hommes en groupe, Achique! Moi, j'étais derrière un arbre et ils sont partis.

— Ce n'était pas nécessaire, Couchir. Ilambine fait des expériences avec l'animal ici. Il me dit que l'animal pense que les habitants sont bien gentils envers lui. Donc, si tu vois encore des gens, ne leur fais pas attention, ils ne sont pas dangereux. Quant à l'animal, nous allons le laisser sortir dans quelques minutes.

— Très bien. Alors, . . .

— Oh! Il y a des nouvelles: le capitaine nous donne seulement jusqu'à ce soir pour accomplir toutes nos expériences. Donc, il faut se dépêcher!

— Bon!

Couchir entend d'autres voix. Cette fois, il ne se cache pas; il reste là sur la route. Ah! Voilà des gens qui viennent!

— Hé! Voilà Jocko! Vite, Jean, Paul, Louis, allez à gauche! Henri, Claude, Michel, à droite! Vous autres, venez avec moi!

Les hommes forment un cercle autour du gorille imposteur. Ils ont des cordes et un grand filet. Très vite, ils prennent le gorille dans le filet et l'attache ferme avec les cordes. Et voilà l'explorateur antarien prisonnier!

On donne quelques coups de fusil pour rassembler tout le monde, puis les gens retournent aux voitures du cirque. On met Jocko-Couchir dans sa cage et on ferme la porte à clé. De plus, Jean Dentdelion reste devant la cage comme gardien. L'Antarien ne peut pas parler à la radio pour demander l'aide de ses camarades parce que le gardien est toujours trop près.

Et, en attendant, les Antariens ont déjà laissé sortir le vrai Jocko, qui se promène confusément dans le bois pas loin du vaisseau.

Deuxième partie: vérification

I. Vocabulaire

Guide Michelin	livre publié à Paris pour les touristes qui donne des renseignements sur les routes, les hôtels et les bons restaurants français
le chemin	la route
la route départementale	La France est divisée en départements (comme les *states* des États-Unis) et chaque département a son propre système de routes

tirer à la courte paille	quand il faut choisir quelqu'un pour faire un devoir désagréable, on *tire à la courte paille*
il y avait	forme du passé de l'expression «il y a»
envers	à
se dépêcher	aller vite
un coup de fusil	CRAC!
deux coups de fusil	CRAC! CRAC!

II. Travaux pratiques

A. Vous comprenez toujours l'histoire? Excellent! Alors, voilà quelques petites questions pour vous!

1. Jocko est libre. A-t-il un plan?
2. A quoi pense-t-il?
3. Comment les Antariens prennent-ils Jocko?
4. Quelle erreur les Antariens font-ils?
5. Comment décident-ils qui va sortir? Et qui est-ce?
6. Qui trouve que Jocko est parti? Que fait-il?
7. Comment est-ce que le premier groupe passe Couchir sans le voir?
8. Quelle erreur les gens font-ils?
9. Où met-on Couchir?
10. Pourquoi ne peut-il pas appeler ses camarades à son secours?

B. Vous connaissez très bien le mot *de*. Voilà deux emplois:

une quantité + *de* + un objet: beaucoup de monstres

un objet + *de* + une substance: une tête de bois

Alors, employez *de* avec des mots de quantité (peu, trop, etc.):

1. __________ bananes
2. __________ monde
3. __________ gâteau
4. __________ gens

Maintenant, mettez des substances (de fourrure, de bois, de brique, etc.):

5. un manteau __________
6. une porte __________
7. une maison __________
8. une voiture __________
9. un chapeau __________
10. un mur __________

C. Connaissez-vous le mot *était*? Oui! C'est une forme d'*être* au passé! Alors, il y a en français un passé de description: *l'imparfait*. Ses formes donnent une description d'une action passée:

Il *était* dans la cage. Maintenant, il est sur la route.

Voilà les formes d'*être* à *l'imparfait*:

j'étais	nous étions
tu étais	vous étiez
il était	ils étaient

Voilà des phrases au présent; mettez-les à l'imparfait:

1. Je suis dans le vaisseau.

2. Jean est à la maison.
3. Les monstres sont derrière un arbre.
4. Nous sommes à Avignon.
5. Êtes-vous un ami du comte Dracula?
6. Tu n'es pas malade?
7. Elles sont au cimetière.
8. Je ne suis pas content.
9. Nous ne sommes pas fâchés.
10. C'est le soir.

D. Dans le texte, il y a un autre exemple de l'imparfait: *il y avait*. Le mot *avait* est une forme du verbe *avoir*. Mettez ces phrases à l'imparfait:

1. Il y a beaucoup de monde au cimetière.
2. Il y a trois gorilles sur le toit de ma maison.
3. Il y a un vaisseau étranger en orbite.
4. Le capitaine a beaucoup de problèmes.
5. Elle a un dragon chez elle.

E. Connaissez-vous le verbe *faire*? Mais oui! Alors, *il fait* à l'imparfait est *il faisait*. Changez ces phrases:

1. Quel temps fait-il?
2. Il fait froid.
3. Il fait un vent à décorner des bœufs!
4. Il fait un temps de chien.
5. Elle ne fait jamais ses devoirs.

F. Donnez quelques détails sur les sujets suivants:

1. les gens du cirque Rocher-Ferandot
2. les jouets de Jocko
3. les voitures du cirque
4. ce que Jocko pense quand il est chez les Antariens

III

Enfin, c'est le soir. Les Antariens doivent remonter au *Chercheur.* Mais Couchir n'est pas rentré! On l'appelle à la radio; il n'y a pas de réponse. Achique cherche son camarade sur l'écran de radar. Ah! Voilà, un spot! Couchir doit être près du vaisseau! Achique ouvre la porte et va le rencontrer. Il ne le sait pas, mais c'est toujours le pauvre Jocko qu'il trouve! Achique emmène le gorille dans le vaisseau encore une fois.

— Je ne sais pas ce qu'il y a, Ilambine! dit-il. Couchir ne me répond pas!

— Et alors? C'est peut-être à cause de cette atmosphère étrangère. Mais nous n'avons plus de temps. Il faut remonter en orbite!

Alors, les deux Antariens et le gorille quittent la Terre. Le troisième Antarien reste dans une cage au milieu d'un petit cirque français.

— Les explorateurs sont rentrés, M. le Capitaine!

— Merci, Nachaine. Et tous les trois vont bien?

— Oui, Monsieur, mais il y a un petit problème en ce qui concerne le caporal Couchir.

— Ah? Comment ça?

— C'est qu'il refuse d'enlever son costume d'animal. En effet, il court toujours autour de la pièce où ils sont rentrés et personne ne peut s'approcher de lui.

— Quoi donc? Envoie le médecin!

Il faut au médecin seulement quelques secondes pour savoir que ce n'est pas le caporal Couchir mais une bête de la Terre! Il annonce ce fait au capitaine. Il va sans dire que M. le Capitaine n'en est pas du tout content!

— Il faut remettre cet animal à la surface de la planète, Nachaine! dit-il. Et il faut trouver Couchir!

Alors, un autre vaisseau avec deux Antariens et un pauvre gorille terrestre descend vers la Terre. Maintenant, on porte aussi des armes: un laser et quelques fusils atomiques. On atterrit encore près du cirque Rocher-Ferandot. Le vaisseau caché, les deux Antariens emmènent Jocko vers son ancienne cage.

Il est deux heures et quart quand ce trio bizarre arrive aux voitures du cirque. Tout le monde dort, même le gardien devant la cage où se trouve Couchir. Avec le rayon du laser, un des Antariens ouvre la porte de la cage. L'autre donne un petit coup sec au gardien pour le faire dormir plus longtemps. Couchir sort vite de sa prison, et Jocko y rentre volontiers. On referme la porte avec une chaîne et on retourne au vaisseau. Une heure plus tard, tous les trois sont à bord le *Chercheur* et le grand vaisseau part pour explorer une autre partie de la Terre.

Dans sa cage, le pauvre Jocko, tout à fait fatigué, pense aux événements du jour passé pendant qu'il mange quelques bananes. Il n'y comprend rien, mais il croit qu'ils sont fous, ces hommes!

Troisième partie: vérification

I. Vocabulaire

un spot	petit point de lumière sur un écran de radar
emmener	on prend Jocko par la main et on va avec lui dans le vaisseau; c'est à dire qu'on *emmène* Jocko dans le vaisseau
ancienne cage	la cage où Jocko *était*
coup sec	un coup de poing assez fort
un événement	ce qui arrive

II. Travaux pratiques

A. Voilà encore un questionnaire pour vous!

1. Qui est-ce qu'Achique emmène? Est-ce qu'il le sait?
2. Comment Achique trouve-t-il Jocko?
3. Où vont les trois?
4. Qu'est-ce qu'on remarque chez "Couchir"?
5. A bord le *Chercheur*, quel problème y a-t-il?
6. Que trouve le médecin?
7. Où descend-on encore?
8. Décrivez la scène au cirque.
9. Couchir, est-il heureux de pouvoir sortir?
10. Que pense Jocko de tout ça? Pourquoi?

B. Quel est le contraire de *quelqu'un*? Et de *quelque chose*? Regardez:

	négatif
quelqu'un	personne
quelque chose	rien

Maintenant, regardez ces phrases:

Quelqu'un parle.	Personne *ne* parle.
Quelque chose arrive.	Rien *n'*arrive.

Compris? Bon! Alors mettez ces phrases au négatif.

1. Quelque chose est sur la table.
2. Quelqu'un connaît Jocko.
3. Quelqu'un vient.
4. Quelque chose me trouble.
5. Quelqu'un veut lui parler.

C. Vous connaissez déjà *l'imparfait* (un peu, hein?). Il y a une autre forme du passé qui note une action terminée. Cette forme s'appelle le *passé composé*. Voilà quelques exemples:

il est sorti
il est parti
il est rentré

Compris? Le *passé composé* de certains verbes se forme avec *être* et une forme spéciale du verbe, le *participe passé*. Voilà quelques verbes qui ont cette forme du passé (le *participe passé* est en italique):

aller	*allé*
arriver	*arrivé*
entrer	*entré*
rentrer	*rentré*
sortir	*sorti*
partir	*parti*

monter	*monté*
descendre	*descendu*
venir	*venu*

Alors, formez le passé composé! Voilà un exemple:

Il sort à deux heures. Il *est sorti* à deux heures.

1. Il entre tard.
2. Il arrive lundi.
3. Jocko rentre dans sa cage.
4. L'Antarien sort da la cage.
5. Le vaisseau vient d'Antares.
6. L'acrobate va parler au patron.
7. Le petit disque descend à la surface.
8. Le vampire monte au 2e étage.
9. Le monstre entre dans le métro.
10. Le disque part à dix heures.

D. Mais quels sont les autres formes du passé composé? Ah! Voilà quelque chose d'intéressant. Vous connaissez les formes différentes des adjectifs:

il est petit	elle est petit*e*
ils sont petit*s*	elles sont petit*es*

Alors, les formes du participe passé employées avec *être* sont comme des adjectifs:

il est allé (venu)	*elle* est allé*e* (venu*e*)
ils sont allé*s* (venu*s*)	*elles* sont allé*es* (venu*es*)

Bon! Mettez ces phrases au passé composé:

1. Il va à Paris.
2. Elle part à midi.
3. Ils arrivent sur la Terre.
4. Elles viennent me voir.
5. Les monstres descendent lentement.
6. Les filles sortent de la cave.
7. Les vampires entrent dans le restaurant.
8. La momie monte vite.
9. Le camion va dans la mer.
10. Les fantômes reviennent du cimetière.

E. Et les formes pour *je*, *vous*, etc.? Eh bien, voilà: Avec *je* il est question de la personne qui parle:

Messieurs	*Mesdames, Mesdemoiselles*
je suis allé	je suis allé*e*
je suis sorti	je suis sorti*e*
nous sommes venu*s*	nous sommes venu*es*

Avec *vous* il y a quatre formes possibles:

on parle à un homme:	Vous êtes sorti?
on parle à une dame:	Vous êtes sorti*e*?
on parle à des hommes:	Vous êtes sorti*s*?
on parle à des dames:	Vous êtes sorti*es*?

Eh bien, mettez ces phrases au passé composé:

1. – Je reviens à midi, dit Marie.
2. Vous sortez tard, Madame!
3. – Nous arrivons à dix heures, Louise et moi, dit Paul.

4. Je ne descends pas. (Un homme parle.)
5. Vous venez tôt? (Donnez les quatre formes.)
6. Tu montes avec lui, Marianne?
7. — Nous allons voir le comte Dracula, disent les filles.
8. Quand est-ce que vous rentrez? (quatre formes)
9. Tu viens la chercher, Pierre?
10. Nous n'entrons pas. (deux formes)

F. Discussion (employez votre imagination)

1. Parlez de l'astronef antarien. Où est-il allé après l'affaire Jocko?
2. Parlez de la civilisation antarienne.

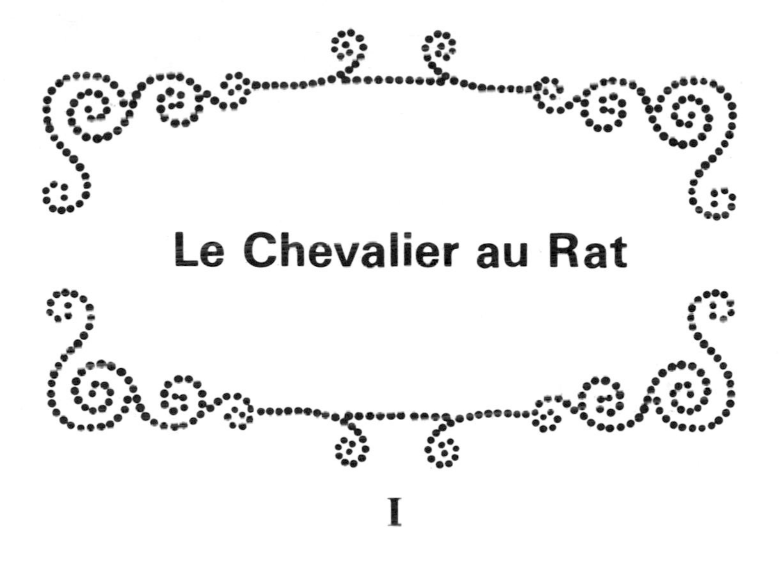

Le Chevalier au Rat

I

Un peu au sud de la Loire il y a les ruines d'un assez petit château médiéval, le château de Canneberge. Aujourd'hui, il n'y a presque rien à voir et les autocars pleins de touristes passent devant les ruines sans s'arrêter. Mais autrefois, au Moyen Âge, le château était assez célèbre; une grande famille y habitait, les de Canneberge.

En 1224 le seigneur du château était Antoine, le marquis de Canneberge. M. le marquis avait neuf fils et chaque fils voulait devenir chevalier. Enfin, après quelques années, huit de ses fils étaient chevaliers. Ils s'appelaient, en ordre de naissance: Maurice Le Chevalier Au Lion Sautant, Jean-Jacques Le Chevalier Au Dragon Vert, Pierre Le Chevalier Au Loup, Richard Le Chevalier Au Taureau, Henri Le Chevalier A L'Ours Noir, Robert Le Chevalier Au Léopard (il combattait contre les Sarrasins), Louis Le Chevalier Au Serpent et Guillaume Le Chevalier Au Bison.

Alors, il restait derrière les murs forts et sombres du château seulement un fils, le plus jeune, Michel de Canneberge. Lui aussi, il voulait devenir chevalier, et enfin le jour est arrivé où son père lui a donné la permission d'aller suivre la route d'aventure. Michel a décidé d'aller se présenter au service du duc de Fleurie. Retournons, vous et moi, au Moyen Âge et voyons comment Michel est devenu chevalier.

A sept heures, mardi le 16 mai, 1224, Michel de Canneberge se lève vite, s'habille simplement et va prendre un peu de déjeuner. C'est aujourd'hui qu'il va partir pour la Cour du duc de Fleurie.

— Bonjour, mon père! dit-il comme il entre dans la grande salle à manger du château.

— Ah, Michel! Bonjour! J'ai ici un paquet pour M. le duc. Veux-tu bien l'emporter avec toi?

— Mais certainement, mon père! Un vrai chevalier doit servir!

— D'accord, Michel! Mais mange vite! J'ai quelque chose à te montrer dans la cour.

Après le repas, Michel et son père vont dans la cour centrale du château, devant le donjon. Là, il y a un grand cheval marron et de l'armure.

— Je te donne Luciole, Michel. C'est un bon cheval très courageux. Et voilà des habits de chevalier aussi.

— Merci bien, mon père, mais je ne dois pas m'habiller en chevalier car je ne le suis pas encore.

— Mais, c'est ridicule! Tu vas être chevalier! Tu es un de Canneberge, alors, tu peux porter ce que tu veux! Et moi, je vais casser la tête de n'importe qui. . . .

— Oui, oui, mon père, j'accepte! Ne vous inquiétez pas!

Alors, les serviteurs viennent l'habiller en armure. C'est bien difficile; il faut trois hommes pour lui mettre toutes les pièces. Puis, on attache une corde à l'armure et, avec une machine, on soulève Michel en l'air pour le poser gentiment sur le dos de Luciole. Enfin, Michel est assis sur la selle et on lui donne son casque à plumes qu'il met sur la tête et une longue lance de bois où est attaché le gonfalon de la famille de Canneberge.

— Et enfin, Michel, lui dit son père, je te donne ce bouclier et cette épée, Coupefer. Comme tu peux voir, le blason sur le bouclier est vert clair sans dessin. Après quelques aventures, tu peux y dessiner quelque animal. Eh bien, au revoir, mon fils! Reviens chevalier, Michel!

— Au revoir, mon père! Quand je retournerai, je serai chevalier, vous pouvez compter sur moi! Allons, Luciole! A l'aventure!

Alors, Michel suit la route principale qui passe par le château de son père et va au château du Duc. Il passe toute la journée à cheval. Le soir, il descend du cheval et enlève l'armure. Il se décide à porter l'armure derrière lui sur Luciole, car elle est beaucoup trop lourde! Il n'y a personne autour, là, où il s'arrête, et alors Michel se couche par terre et dort bien.

Le matin, il se lève tôt—les chevaliers doivent toujours se lever tôt—et monte à cheval tout de suite. Il s'arrête à la première maison pour demander du pain. On lui en donne sans beaucoup parler. Le petit peuple a peur des chevaliers; il y en a trop de méchants.

Première partie: vérification

I. Vocabulaire

un chevalier	un noble qui combat à cheval
le Moyen Âge	les années entre l'Antiquité et l'époque moderne
Sarrasins	les Arabes qui ont envahi l'Europe et l'Afrique au Moyen Âge
la Cour	résidence d'un souverain
la selle	sorte de siège qu'on met sur le dos d'une bête
le gonfalon	sorte de drapeau; un étendard
le bouclier	arme défensive portée au bras en forme ovale ou rectangulaire; quand un vaisseau d'espace revient à la Terre, il a la protection d'un bouclier antithermique contre l'atmosphère
une épée	sorte de long couteau employé avant l'invention des armes à feu
le blason	un emblème porté par un chevalier

II. Travaux pratiques

A. Tout d'abord nous avons des Antariens, puis nous sommes au Moyen Âge! Eh bien, voilà des questions pour vous:

1. Où se trouve le château de Canneberge? Quel est son état actuel?
2. Quelle famille habitait au château? Quand?
3. Il y avait combien de fils dans cette famille? Et combien de chevaliers parmi les fils?
4. Qui restait toujours au château? Pourquoi?

5. Où allait-il se présenter? Pourquoi?
6. Qu'est-ce que le marquis de Canneberge a pour le duc de Fleurie? Imaginez ce qu'il y a dedans.
7. Que donne-t-il à Michel? Comment est Luciole?
8. Qu'est-ce qui est attaché à la lance?
9. Pourquoi le blason est-il sans dessin?
10. Après sa première journée de voyage, où Michel se couche-t-il?
11. Quand se lève-t-il? Pourquoi?
12. Où prend-il le déjeuner?

B. On peut employer le mot *à* avec *le*, *la*, *les* et un mot descriptif pour indiquer une qualité habituelle chez une personne. Par exemple, s'il y a un chevalier qui porte toujours un blason avec le dessin d'un lion, on l'appelle:

Le Chevalier *Au* Lion

Eh bien, comment est-ce qu'on appelle

1. un monstre qui porte un tricot vert?
2. une dame qui porte des camélias?
3. un gorille qui porte une robe rouge?
4. un vieillard qui a un grand pied?
5. un vampire qui a les oreilles pointues?

C. Il est souvent important de savoir la forme du verbe qui va avec le pronom *nous*. Connaissez-vous ces formes? Alors, mettez la forme *nous* pour chaque verbe:

1. chercher
2. répondre
3. finir
4. prendre
5. avoir
6. lire
7. envoyer
8. choisir
9. devoir
10. tenir
11. recevoir
12. savoir

13. aller
14. pouvoir
15. vouloir
16. courir
17. écrire
18. dormir
19. venir
20. voir
21. mettre
22. faire
23. croire
24. boire
25. dire

D. Et pourquoi ces formes avec *nous* sont-elles si importantes? Eh bien, vous connaissez quelques formes du passé de description (l'imparfait), n'est-ce pas? Alors, pour former l'imparfait de tous les verbes (seule exception, *être*), il faut savoir la forme *nous* du présent, puis découper *-ons* et ajouter la terminaison correcte:

lire: nous lisons	boire: nous buvons
lis///	buv///
je lis*ais*	il buv*ait*

Compris? Eh bien, voilà les terminaisons:

avoir: nous avons

av///

j'avais	(-AIS)
tu avais	(-AIS)
il avait	(-AIT)
ils avaient	(-AIENT)
nous avions	(-IONS)
vous aviez	(-IEZ)

Alors, mettez ces verbes à l'imparfait:

1. Le Marquis *habite* au château de Canneberge.
2. Il *a* neuf fils.
3. Les fils *veulent* devenir chevaliers.

4. Les chevaliers *vont* partout.
5. Les paysans *viennent* au château tous les jours.
6. Vous *choisissez* toujours de bons porcs.
7. Je ne le *visite* jamais.
8. Tu *réponds* toujours en français.
9. Nous ne *savons* pas où aller.
10. Que *disent*-ils?

E. Et voilà quelques sujets à discuter:

1. Que savez-vous de la vie d'un chevalier? Quelles étaient ses aventures, quel travail faisait-il?
2. Connaissez-vous de célèbres chevaliers?
3. Décrivez un blason tel que vous voudriez faire pour vous-même.

Eh bien, retournous à notre chevalier prétendu!

II

Il est presque midi—Michel regarde sa montre pour savoir l'heure—et le jeune homme passe près d'une ferme. Soudain, il entend des cris terribles qui viennent d'une petite maison pas très loin. C'est une demoiselle en détresse! Comme un bon chevalier, Michel tourne Luciole à gauche et ils vont au galop vers la maisonnette.

Arrivé, il tire son épée, Coupefer, descend vite et entre dans la petite maison rustique. Au coin de la seule pièce, une jeune fille assez jolie est debout sur une chaise. Elle tremble et elle pleure.

— Qu'est-ce qu'il y a, Mademoiselle? demande Michel, toujours très poli.

— Regarde là, imbécile! C'est un rat qui m'attaque! Pouah! Je déteste les rats!

Sans dire un autre mot, Michel lève son épée et, d'un seul coup, il tranche la tête du rat. La fille descend de la chaise et elle regarde le jeune Michel bien tendrement.

— Merci beaucoup, mon brave chevalier.

— A votre service, Mademoiselle. Mais je ne suis pas encore chevalier. C'est que je vais à la Cour du duc de Fleurie pour entrer à son service.

Les deux jeunes gens sortent de la maison et la fille regarde le bouclier de Michel. Elle voit que son blason est vide.

— Mais vous n'avez pas de dessin! crie-t-elle. Ça, ce n'est pas bon. On ne doit pas aller chez M. le duc sans dessin. Attendez-moi un instant, mon brave chevalier!

Et la fille rentre dans la maisonnette. Quand elle sort, elle a un pinceau et un pot de peinture noire. Michel ne peut rien dire; il la regarde stupéfait. La fille dessine un rat noir sur son blason, un rat debout et bien féroce.

Comme elle finit son dessin, son père arrive et regarde ce qu'elle fait. Enfin, elle lui explique comment Michel l'a sauvée du rat. Le père remercie beaucoup Michel et la fille dit à Michel de se mettre à genoux. Il le fait. Puis elle prend son épée, Coupefer, le touche aux épaules et dit:

— Alors, Monsieur . . . euh, quel est votre nom?

— Je suis Michel de Canneberge.

— Alors, Michel de Canneberge, je vous nomme le Chevalier Au Rat! Levez-vous, mon chevalier, et allez toujours combattre pour le bien!

C'est ainsi que Michel de Canneberge devient le neuvième chevalier de sa famille, et c'est aussi pourquoi il s'appelle le Chevalier Au Rat.

Michel remercie la fille, refuse gentiment son invitation à passer quelques jours chez son père et remonte à cheval pour continuer son voyage vers la Cour du duc de Fleurie.

Après quelques jours, Michel arrive à la Loire. Il va vers le village qu'il voit à sa droite. Comme il s'approche du village, quelques gens courent vers lui en criant tous ensemble:

– Sauvez-nous! Aidez-nous! Au secours, brave chevalier!

– Mais qu'est-ce qu'il y a? leur demande Michel. Du calme, je vous en prie, du calme! Je ne peux rien comprendre!

Enfin, un des villageois, le vieil André, raconte à Michel les misères du village:

– Il y a un chevalier très cruel qui s'appelle Otharic; il habite à côté du pont qui traverse la Loire. Il nous oblige à payer quand nous voulons passer par le pont. Et il nous faut passer par là pour aller à nos champs!

– Est-ce que c'est son pont à lui?

– Mais non! C'est le pont du village! C'est un cadeau du roi! Mais Otharic, il en fait un pont à péage!

– Vous ne pouvez peut-être pas traverser en bateau?

– Impossible! Otharic met toujours le feu à nos bateaux! Il nous surveille nuit et jour.

– Alors, ce n'est pas juste! Montrez-moi où habite ce chevalier méchant. Je vais lui parler un peu de ce que c'est que la chevalerie!

– Bravo! Bravo! crie tout le monde. Nous avons enfin un champion!

Deuxième parite: vérification

I. Vocabulaire

une maisonnette	une petite maison
rustique	de campagne
un pinceau	l'instrument principal des peintres
au secours	à l'aide
à péage	où il faut payer: une autoroute à péage, par exemple
méchant	qui n'est pas bon
la chevalerie	le code des chevaliers

II. Travaux pratiques

A. Vous comprenez toujours ce qui arrive, n'est-ce pas? Alors, vous allez trouver ces questions faciles à répondre!

1. Quand Michel passe près de la ferme, qu'est-ce qu'il entend? Que pense-t-il alors?
2. Que fait-il tout de suite? Pourquoi?
3. Arrivé à la maisonnette, qu'est-ce qu'il trouve dans la pièce?
4. Comment sauve-t-il la fille?
5. Que fait la fille pour le remercier?
6. Et Michel, que pense-t-il de son nouveau blason?
7. Que fait la fille avec l'épée de Michel?
8. L'épée, comment s'appelle-t-elle? Pourquoi?
9. Pourquoi Michel refuse-t-il de passer quelques jours chez eux?
10. Où arrive-t-il ensuite?
11. Quelle est la misère du village?
12. Qu'est-ce que Michel veut faire?

B. Vous savez maintenant qu'il y a deux sortes de passé: l'imparfait et le passé composé (il arrivait—il est arrivé). Pour former le passé composé, nous prenons une forme spéciale du verbe, le *participe passé*. Voilà une règle générale pour cette formation:

infinitif		*participe*	
-er	parler	-é	parlé
-ir	finir	-i	fini
-re	descendre	-u	descendu

Aussi, ce participe a d'autres emplois. Regardez comment nous combinons ces deux phrases:

Il est arrivé au village.

Il entend les cris des gens.

Arrivé au village, il entend les cris des gens.

Compris? Alors, combinez ces phrases:

1. Il est sorti de la maison. Il voit le rat noir.
2. Il est descendu du cheval. Il regarde par terre.
3. Elle est revenue de Paris. Elle ne travaille plus.
4. Ils sont entrés dans la maisonnette. Les gens voient le rat décapité.
5. Elles sont sorties de leur maison. Elles sont parties du village. Les dames cherchent les animaux.

C. Comment est-ce qu'on forme l'imparfait? Oui!

1. Cherchez la forme *nous*: nous pouvons
2. Découpez *-ons*: pouv///
3. Ajoutez la terminaison: je pouv*ais*

Et quel verbe offre une exception? Oui! *Être*. Nous employons la base *ét-*: j'étais, etc. Alors, mettez ces phrases à l'imparfait:

1. Je suis au village.
2. Elle est là.
3. Nous ne sommes pas loin du château.
4. Les épées sont dans la maison.
5. Vous êtes au château?

D. Il est possible d'employer l'imparfait et le passé composé dans une seule phrase. Par exemple, M. le duc était au château. Que faisait-il?

M. le duc chantait à la fille.

Voilà une description d'une action qui continue, donc nous employons l'imparfait. Alors, voilà une action terminée:

Mme la duchesse est entrée.

Combinons ces deux phrases:

M. le duc chantait à la fille quand Mme la duchesse est entrée.

Compris? Alors, employez ou l'imparfait ou le passé composé pour chaque verbe; joignez les phrases par *quand*:

1. Le cheval est là. Je retourne.
2. Le dragon prend un cheval. J'entre dans sa caverne.
3. Le roi danse. Elles arrivent.
4. Nous lisons le décret royal. Le messager vient.
5. Le château, est-il en flammes? Vous arrivez.

E. Alors, vous savez bien que nous formons le passé composé avec *être*:

j'arrive – je suis arrivé(e)

Mais cela n'est vrai que pour quelques verbes (aller, venir, sortir, etc.). Il y a un autre groupe de verbes, beaucoup plus grand, qui forme le passé composé avec *avoir*:

je parle – j'*ai* parlé

il finit – il *a* fini

Simple, n'est-ce pas? Simple comme bonjour! Oh, oui, il faut dire que le participe passé ne varie pas avec *avoir* comme avec *être*:

elle *est* sorti*e* mais elle *a* parl*é*

ils *sont* sorti*s* mais ils *ont* parl*é*

Bon! C'est à vous maintenant! Changez ces verbes au passé composé en employant *avoir*:

1. Il danse.
2. Le monstre regarde le village.
3. Nous cherchons un bon gorille.
4. Les vampires mangent très peu. (Attention à la place de l'adverbe!)
5. Vous visitez Paris?
6. Je finis à dix heures.
7. Tu réponds?
8. Où trouve-t-elle ces pierres?
9. Choisissez-vous un bon cheval?
10. J'étudie l'alchimie.

F. Discutons un peu!

1. Que savez-vous de la chevalerie? Donnez quelques règles, etc.
2. Et que savez-vous de la société médiévale? Comment se distingue-t-elle de notre société moderne?

Assez de travaux? D'accord! Retournons à Michel pour voir ce qu'il peut faire contre ce chevalier cruel, Otharic!

III

Tous les gens du village accompagnent Michel à la maison d'Otharic. C'est une grande tour de pierre juste à côté du pont. Il y a deux grandes portes de bois qui bloquent l'entrée du pont, et il y a une affiche qui dit: PONT A PÉAGE. Mais Michel ne voit pas de chevalier. Enfin, il s'avance tout seul—les gens du village restent bien loin de la sombre tour—et crie à haute voix:

—Hep, là-bas! Je cherche le chevalier du pont!

Il n'y a pas de réponse. Michel crie encore. Enfin, la porte de la maison s'ouvre. Tout le monde garde un silence de terreur. Ah! Il y a quelqu'un à la porte! C'est Otharic! Ce chevalier cruel est beaucoup plus grand que Michel, beaucoup plus gros et, sans doute, beaucoup plus fort. Il a de longs cheveux bruns et une longue barbe. Son armure est tout dorée. (Michel pense soudain à son armure à lui qui est toujours sur le dos de Luciole!) Sur son bouclier, le blason a le dessin d'un squelette. Quel chevalier!

— Je suis Otharic Le Cruel. Je suis le maître du pont. Et qui êtes-vous, mon petit?

— Je suis Michel de Canneberge! Je viens vous demander . . .

— Attendez un moment, mon petit de Canneberge! Êtes-vous chevalier? Montrez-moi votre blason! Je n'aime pas gaspiller mon talent!

Michel est un peu embarrassé. Il ne veut pas montrer le dessin du rat à tout le monde. A vrai dire, il avait l'intention de changer le dessin au plus tôt. Mais il ne peut rien faire maintenant. Alors, il prend son bouclier et le montre à Otharic.

— Je suis Michel de Canneberge, le Chevalier Au Rat!

— Au Rat? Au Rat! C'est absurde! Ah, ha! Ha, ha! Hi, hi! Le Chevalier Au Rat? Incroyable!

Otharic Le Cruel et tous les gens du village rient fort. Michel devient un peu fâché. Après tout, ce n'était pas lui qui avait besoin de secours!

— Oui, espèce de grosse banane! Je suis le Chevalier Au Rat! Sortez donc, j'ai besoin d'un peu d'exercice!

Le silence tombe encore. Otharic regarde Michel comme un loup regarde le petit lapin qu'il attrape. Il tire son épée et s'avance vers Michel. Michel n'a pas d'armure. Il lève son bouclier pour protection et il tire son épée. Un vrai chevalier ne peut pas courir quand l'ennemi s'approche de lui.

Crac! L'épée d'Otharic frappe fort sur le bouclier de Michel. Crac! Crac! Son épée frappe encore et encore. Michel lui donne un coup d'épée rapide à la tête, mais le casque d'Otharic est trop fort. Alors, Michel fait le tour de son adversaire. Otharic doit se tourner pour se mettre toujours en face de ce jeune chevalier ridicule. Crac! Il frappe encore contre le bouclier de Michel. Mais Michel continue à tourner autour du gros Otharic de plus en plus vite. Une idée lui vient à l'esprit et il sait enfin comment il va se tirer de cette mauvaise épisode.

Comme Michel tourne autour de lui, Otharic se tourne aussi. Il ne fait pas attention à la vitesse de ses tours. Après un peu, Otharic ne peut plus voir clair. L'image de Michel, ou, mieux, les images de Michel sont un peu partout. Otharic donne encore quelques coups de son épée, mais il ne touche pas le jeune chevalier. Michel va derrière Otharic et le frappe à la tête avec le plat de son épée. Et le gros Otharic entend chanter de petits oiseaux comme il tombe par terre.

— Bravo! Bravo! Vive le Chevalier Au Rat! crie tout le monde.

— Eh bien, mes amis, Otharic est par terre, mais il n'est pas mort. Alors, avez-vous une prison au village?

— Oui, Monsieur, il y a une petite maison à côté de la route vers l'est que M. le duc a fait construire pour les criminels.

— Très bien, mettez-le dedans. Je vais dire au duc de Fleurie d'envoyer des soldats ici. Otharic Le Cruel devra se présenter devant la justice ducale.

Tous les gens du village sont bien heureux d'être libérés du cruel Otharic. Ils invitent Michel à une grande fête, mais Michel dit qu'il doit partir tout de suite car il veut se présenter à la Cour au plus tôt.

— Au revoir, mes amis! crie Michel comme il part au galop.

— Au revoir, Chevalier! Au revoir!

Troisième partie: vérification

I. Vocabulaire

doré	qui a la couleur d'or
un squelette	la partie du corps qui est composée des os: le squelette humain a 208 os
gaspiller	dépenser inutilement
au plus tôt	le plus tôt possible
fâché	en colère; furieux
devra	forme du futur de *devoir*

II. Travaux pratiques

A. Alors, le Chevalier Au Rat commence ses aventures! Et vous, voulez-vous commencer l'aventure de ce questionnaire? Bon! Allez-y!

1. Décrivez la maison d'Otharic.
2. Pourquoi les gens du village ne s'avancent-ils pas avec Michel vers la maison d'Otharic?
3. Décrivez Otharic Le Cruel.
4. Pourquoi est-ce qu'Otharic hésite à accepter le défi de Michel?
5. Et pourquoi Michel est-il embarrassé? Qu'est-ce qu'il avait l'intention de faire?
6. Quelle était la réaction des gens?
7. Comment est-ce qu'Otharic regarde Michel? Pourquoi?
8. Quel est le stratagème du Chevalier Au Rat?
9. Pourquoi Otharic ne s'arrête-t-il pas de se tourner?
10. Comment Michel fait-il tomber le gros Otharic?
11. Où va-t-on mettre Otharic?
12. Où va Michel? Pourquoi ne reste-t-il pas au village?

B. Regardez les réponses à ces deux questions:

C'est l'épée de Michel? Oui, c'est *son* épée.

C'est le sac de Marie? Oui, c'est *son* sac.

Oui, il n'y a pas de distinction quant à la personne. Mais, si c'est nécessaire, nous pouvons ajouter *à lui*, *à elle*:

C'est le cheval de Robert ou de Janine?

C'est son cheval à elle.

Bon! Répondez à ces questions:

1. C'est le chien de Michel ou de Marie? (Marie)
2. C'est l'épée de Lancelot ou d'Alice? (Lancelot)
3. C'est la maison de Paul ou de Louise? (Paul)
4. Ce sont les chevaux de Marc ou de Jeanne? (Jeanne)
5. C'est le pont d'Otharic ou des gens? (Otharic)

C. Bon! Maintenant, parlons un peu du passé composé. Vous connaissez déjà sa formation:

il parle	il a parlé
je finis	j'ai fini
tu réponds	tu as répondu

Alors, quelle est sa formation négative? Regardez:

Il a dix ans. Il *n'*a *pas* dix ans.

Il a parlé. Il *n'*a *pas* parlé.

Compris? Bon! Changez ces phrases au passé composé:

1. Jean ne finit pas son travail.
2. Otharic ne gagne pas le combat.
3. Nous ne répondons pas au duc.
4. Vous ne finissez pas vos devoirs?
5. Je n'étudie pas l'alchimie.

D. Et que savez-vous de la formation du participe passé? Oui! Voilà la formation régulière:

parl*er* – parl*é*   fin*ir* – fin*i*   répond*re* – répond*u*

Il y a aussi des formations irrégulières:

1. tous les verbes en *-oir* ou *-oire*.

avoir – *eu*
boire – *bu*
croire – *cru*
devoir – *dû*
pouvoir – *pu*
recevoir – *reçu*
savoir – *su*
voir – *vu*
vouloir – *voulu*

2. et aussi:

courir – *couru*
dire – *dit*
écrire – *écrit*
être – *été*
faire – *fait*
lire – *lu*
mettre – *mis*
mourir – *mort*
ouvrir – *ouvert*

(Il y a aussi d'autres verbes.)

Mais assez de présentation! Voilà des phrases qui contiennent ces verbes. Mettez-les au passé composé:

1. Il a de la chance.
2. Michel met Otharic en prison.
3. Nous ne voulons pas le voir.
4. Que voyez-vous?
5. Qu'est-ce qu'elles disent?
6. J'écris une lettre au duc.
7. Que fait-il?
8. Les monstres ouvrent toutes les portes.
9. Tu ne dois pas quitter le château.
10. Vous ne recevez pas ma lettre?

E. Vous savez déjà que le passé composé se forme avec *être* ou *avoir*:

il *est* allé   il *a* parlé

Bon! Dans les phrases suivantes, il y a des verbes qui forment le passé composé avec *être*, des verbes qui le forment avec *avoir*. Mettez-les au passé composé!

1. Il va à Lyon.
2. Nous portons trois porcs au marché.
3. Je viens de Paris où je vois le roi, dit Marie.
4. Vous avez des problèmes, Mesdames?
5. Le vampire sort de son cercueil, va vite dans les rues, trouve une victime, boit du sang et retourne chez lui.

F. A discuter:

Que savez-vous du roi Arthur et ses Chevaliers de la Table Ronde? Connaissez-vous la chanson à boire du même nom?

Bon! Retournons à Michel. Il doit arriver bientôt au château du duc de Fleurie!

IV

Après la défaite d'Otharic, Michel est monté sur Luciole et il a quitté le village. Maintenant, quatre jours plus tard, il arrive enfin chez le duc de Fleurie. Le château du duc est beaucoup plus grand que le château de Canneberge où Michel est né, et bien plus impressionnant. Ses murs sont hauts et toutes les sentinelles portent des habits aux couleurs ducales: vert et orange.

Arrivé devant le donjon, Michel descend du cheval et va se présenter au duc dans la grande salle de réception. Comme il s'approche des portes de cette salle au bout d'un long couloir, il voit un secrétaire assis à une table à côté de l'entrée. Ce secrétaire lui fait signe de sa main et Michel va lui parler.

– Bonjour! lui dit Michel. Je viens . . .

– Nom?

– Non? Je ne comprends pas. Je . . .

– Cela ne m'intéresse pas. On veut avoir une audience avec M. le duc, n'est-ce pas?

– Oui . . .

– Alors, il faut remplir une fiche! Ici, c'est la France, on est civilisé! On veut bien me donner son nom?

– Euh, Michel.

– Non, non et non! D'abord, le nom de famille, puis les prénoms usuels!

– Oh! De Canneberge–c'est grand cé-a-double enne-é-bé . . .

— Je sais, je sais! Je ne suis pas anglo-normand! Alors, les prénoms?

— Michel, le Chevalier Au Rat.

— Au Rat? Ah! Ces temps modernes! Et quel est votre domicile légal, M. Rat?

— Qu'est-ce que c'est?

— Votre adresse!

— Euh, Château de Canneberge.

— Voilà! On veut bien faire la queue comme tout le monde? Merci.

Un peu confus, Michel va se placer derrière un vieux chevalier qui attend, lui aussi, une audience avec le duc. Après deux heures d'attente, un page ouvre les portes de la salle et Michel peut entrer. Il se présente au duc à genoux.

— Sire, je veux me mettre à votre service.

— Ah, oui? Vous êtes le plus jeune des fils du marquis de Canneberge, n'est-ce pas?

— Oui, Sire, c'est vrai.

— Et vous allez faire tout ce que je vous dis de faire?

— Mais certainement, Sire!

— Très bien, je vous reçois à mon service à une condition . . .

— Sire?

Il y a, ici, dans le château, la princesse de Matigny. Elle est venue de son château pour consulter mon sorcier, Poufdepoudre. Une mauvaise sorcière a changé son mari en grenouille et elle cherche le remède. De plus, la sorcière a laissé un énorme géant près du château de Matigny et il le menace nuit et jour.

— Et moi?

— Si vous voulez devenir chevalier du duc, rentrez au château de Matigny avec la princesse et tuez le géant.

C'est tout, et c'est assez simple, n'est-ce pas?

— Eh bien, Sire, j'accepte! Où est-ce que je peux trouver la princesse?

Le duc appelle un serviteur et lui explique ce qu'il faut faire. Le serviteur conduit Michel à l'appartement de la princesse.

— Madame, dit-il, je vous présente Michel de Canneberge, le chevalier qui va vous accompagner chez vous.

— Monsieur de Canneberge, c'est un plaisir!

— Le vrai plaisir est à moi, Madame! lui répond Michel, les yeux grands comme des assiettes. La princesse est bien belle! Elle est grande et svelte; une jeune femme aux longs cheveux noirs comme le ciel à minuit. Ses yeux verts brillent comme des étoiles.

La princesse explique à Michel comment elle est venue de son château à toute vitesse pour rapporter le remède à son mari-grenouille. Maintenant qu'elle a le remède, il faut tuer le géant pour rentrer au château.

— Et comment s'appelle-t-il, ce géant, Madame?

— Haleinedail.

— Alors, n'ayez pas peur! Nous rentrerons au château et je tuerai cet espèce de misérable géant!

— Merci bien, M. de Canneberge. Vous êtes très brave et je mets toute ma confiance en vous!

Quatrième partie: vérification

I. Vocabulaire

faire la queue — se mettre dans une file de personnes qui attendent

le page — jeune noble placé près d'un prince pour lui rendre service

tuer — donner la mort à

svelte	d'une forme légère et belle
à toute vitesse	au plus tôt
ayez	forme de commande d'*avoir*

II. Travaux pratiques

A. Alors, notre jeune chevalier est enfin arrivé chez M. le duc. Et voilà des questions pour vous assurer que vous avez tout compris. Attention! Ces questions se posent au passé!

1. Combien de jours fallait-il à Michel pour arriver chez M. le duc après la défaite d'Otharic Le Cruel? (il faut – il fallait)
2. Décrivez le château du duc de Fleurie.
3. Où Michel est-il allé se présenter?
4. Qui est-ce qu'il y a rencontré?
5. Quelle était l'attitude du secrétaire? Qu'est-ce qu'il demandait à Michel?
6. Comment Michel s'est-il présenté au duc?
7. Et M. le duc, connaissait-il la famille de Michel? Imaginez les circonstances.
8. Décrivez les misères de la princesse de Matigny.
9. Comment était la princesse?
10. Pourquoi est-elle venue au château du duc?
11. Avant de rentrer à son château à elle, qui est-ce qu'il lui fallait tuer?
12. Et le géant, comment s'appelait-il?

B. Jeu de vocabulaire! Trouvez le contraire de chaque mot:

1. une défaite	5. tout	8. un géant
2. monter	6. mauvais	9. accepter
3. tard	7. le remède	10. vite
4. civilisé		

C. Pouvez-vous répondre à ces questions au passé composé?

1. Michel, où est-il né?
2. Et vous, où êtes-vous né(e)?
3. Quand Michel est-il parti du château de son père?
4. Où Michel a-t-il eu une audience avec M. le duc?
5. Qu'a-t-il dit à la princesse?

D. Et maintenant, voilà des questions auxquelles il faut répondre à l'imparfait! Allez-y!

1. Comment était la fille qui est montée sur une chaise à cause du rat?
2. Comment était Otharic?
3. Imaginez quel temps il faisait quand Michel est arrivé chez M. le duc.
4. Où M. le duc recevait-il les gens? Où donnait-il ses audiences?
5. Pourquoi la princesse attendait-elle au château au lieu de rentrer chez elle?

E. Bon! Alors, comme vous le savez bien, le passé composé se forme d'un participe passé et d'*être* ou d'*avoir*. Mais quels verbes se forment avec quel auxiliaire? C'est simple comme bonjour! Regardez:

avec *être*:	1. quelques verbes intransitifs (aller, arriver, descendre, entrer, monter, mourir, naître, partir, rester, retourner, sortir, tomber, venir) 2. tous les verbes pronominaux (se laver, s'habiller, se présenter, etc.)
avec *avoir*:	tous les autres verbes!

Ce n'est pas compliqué, hein? Bon! Alors, donnez la forme du passé composé de ces verbes:

1. je cherche
2. il va
3. nous finissons
4. vous tombez, les filles
5. il meurt
6. je me parle
7. ils les lavent
8. ils se lavent
9. vous nous voyez
10. nous nous voyons

Bon! Retournons tout de suite à l'histoire! Il y a un géant à tuer!

V

Le lendemain, Michel et la princesse quittent le château du duc après le petit déjeuner. Comme ils sortent par le grand portail, ils voient M. le duc là-haut sur le mur. Il leur fait un geste de la main.

Près du château, il y a la route qui mène au château de Matigny et Michel et la princesse la suivent au galop. Si tôt le matin il n'y a presque personne sur la route et donc ils arrivent bientôt à l'entrée de la vallée de Matigny.

– Regardez, là, mon chevalier, dit la princesse, c'est mon château! Il faut simplement descendre vers la plaine et nous y serons!

– Cependant, il y a toujours ce géant, n'est-ce pas?

– Il est peut-être parti. Je crois que . . .

A ce moment, l'ombre gigantesque d'une forme terrible tombe sur la route. C'est le géant!

— AH, HI! ON VEUT NOUS PASSER, HEIN? IMPOSSIBLE! JE SUIS HALEINEDAIL, ET JE NE DORS JAMAIS!

Que faut-il faire? Michel pense à une ruse, mais il n'a vraiment pas d'idées et le géant s'approche d'eux.

— Ssst! Mon chevalier! Pensez à une énigme!

— Pourquoi?

— On peut toujours arrêter un géant en lui donnant une énigme à deviner. Pendant qu'il pense à la réponse juste, nous gagnons quelques minutes de plus!

— ALORS, MES PETITS! JE VAIS VOUS MANGER TOUS LES DEUX! AH, OUI! VENEZ ICI, POUR QUE . . .

— Attendez un peu! lui crie Michel. Est-ce toujours la coutume chez les géants qu'on peut vous donner une énigme à deviner?

— OUI, SANS BLAGUE! SI ON POSE UNE ÉNIGME INTÉRESSANTE, ON PEUT SE SAUVER LA VIE. ALORS, POSE-MOI CETTE ÉNIGME.

Michel pense et pense, mais il ne trouve pas d'énigme. Enfin, c'est la princesse qui s'adresse au géant:

— Monsieur, qui est-ce que je suis? Je vais de ville en ville et personne ne me voit. J'entre partout et personne ne me voit, mais je porte leurs paroles loin. Je suis doux comme le printemps, mais je peux aussi détruire une ville entière.

— EUH, LAISSE-MOI PENSER UN PEU. EUH, L'EAU? NON, NON. EUH, UN OISEAU? NON, NON.

Pendant que le géant est occupé, Michel et la princesse discutent leur problème. Enfin, ils se décident à courir vers une caverne que la princesse connaît tout près.

– LE VENT! TU ES LE VENT! OUI, C'EST ÇA!

Ah! Le géant devine trop vite! Il faut lui poser une autre énigme. On a droit à trois énigmes. Si le géant peut deviner toutes les trois, il a droit à manger ses victimes! Alors, c'est à Michel.

– Très bien, M. Haleinedail! Vous êtes bien intelligent. Mais j'ai une autre énigme pour vous: Qui est-ce que je suis? On ne peut pas me toucher, me voir, me sentir, mais je suis partout. Je n'ai pas de mains, pas de voix, mais je fais tomber des montagnes. A la fin de tout, je serai tout seul.

– EUH, C'EST BIEN DIFFICILE. LAISSE-MOI PENSER . . .

Alors, pendant que le géant réfléchit, Michel et la princesse laissent leurs chevaux et courent à la caverne. Tous les gens qui habitent près de Matigny connaissent cette caverne car elle a la forme d'un *u*. C'est à dire qu'elle a deux entrées, ou deux sorties, selon votre point de vue. En tout cas, comme ils arrivent à la caverne, Michel et la princesse entendent la voix terrible du géant:

– AH! JE SAIS! JE SAIS! LE TEMPS! VOUS ÊTES LE TEMPS!

Mais quand Haleinedail regarde par terre, il ne voit pas ses victimes. Comme il est furieux! Il lève la tête et voit Michel et la princesse a l'entrée de la caverne. Le géant fait quatre pas gigantesques et il est à l'entrée. Michel et la princesse sont déjà entrés. Bien sûr que la caverne est beaucoup trop petite pour Haleinedail! Alors, il met une main dans chaque entrée pour trouver ses victimes.

Au milieu da la caverne, Michel prend sa cape et la met sur le doigt du géant. Puis, lui et la princesse se mettent contre le mur. Comme les deux mains du géant se rencontrent, Haleinedail croit qu'il a le chevalier. Il le prend et essaie de le tirer de la caverne. Faut-il dire qu'il n'a pas de succès?

Alors, pendant que le géant combat avec son adversaire imaginaire, Michel et la princesse sortent silencieusement de la caverne. Arrivés derrière le géant, ils s'arrêtent. La princesse sort de son sac de la poudre magique. Elle la jette sur le dos d'Haleinedail et POUF! le géant devient un énorme arbre. Même aujourd'hui, si vous allez à la vallée de Matigny, vous allez voir un arbre merveilleux qui pousse dans une caverne, sort de l'autre côté et rentre dans la terre.

Sans hésiter, ils retrouvent leurs chevaux et vont au grand galop vers le château. Ils y entrent vite et la princesse va directement dans la cour où se trouve un bassin. Dans le bassin il y a beaucoup de grenouilles.

– Et quelle grenouille est votre mari, Madame?

– Euh, c'est que je ne sais pas exactement. Henri! Henri! Où es-tu? Ah! Le voilà!

Une grande grenouille verte et jaune saute au bord du bassin et dit: Oua-oua-ron! Oua-oua-ron! La princesse verse de la potion magique sur cette grenouille et Pfft! Rien! C'est une grenouille ordinaire.

Enfin, la douzième grenouille, c'est le mari de la princesse. Pouf! Il se change en homme. Naturellement, il remercie Michel et lui donne de beaux cadeaux. Michel, lui, retourne chez M. le duc et entre à son service.

C'est ainsi que le neuvième fils du marquis de Canneberge est devenu chevalier du duc de Fleurie.

Cinquième partie: vérification

I. Vocabulaire

le lendemain	le jour après
le portail	une grande porte
mène	va
un pas	la distance entre les pieds quand on marche
verser	on jette un ballon, mais on verse un liquide

II. Travaux pratiques

A. Que pensez-vous des aventures du Chevalier Au Rat? Avez-vous tout compris? Bon! Alors, répondez à ces questions!

1. Quand Michel et la princesse sont-ils partis?
2. Ils ont suivi quelle route?
3. Et qui était là, à l'entrée de la vallée de Matigny?
4. A quoi Michel a-t-il pensé?
5. Quelle était l'idée de la princesse?
6. Qu'est-ce que le géant voulait faire?
7. Le géant, a-t-il accepté ce que Michel proposait?
8. Michel et la princesse, qu'ont-ils fait pendant que le géant pensait?
9. On avait droit à poser combien d'énigmes? Et si le géant savait répondre à toutes les énigmes?
10. Décrivez la caverne. Pourquoi était-elle remarquable?
11. Comment Michel et la princesse ont-ils attrapé Haleinedail?
12. Comment la princesse a-t-elle retrouvé son mari?

B. Voilà les définitions de quelques mots ou expressions employés dans le chapitre V. Quelles sont ces expressions?

1. sortir de; partir de
2. une porte assez grande
3. dans très peu de temps
4. très, très grand
5. chercher une solution quand on n'a pas tous les détails
6. toute une ville
7. la distance entre deux pieds quand on marche
8. il y en a cinq à chaque main
9. le contraire d'une défaite
10. le pays entre deux montagnes

C. Et vous, est-ce que vous pouvez donner une bonne définition pour chaque mot donné ici? Excellent! Allez-y!

1. un château
2. un géant
3. un bouclier
4. une grenouille
5. une énigme
6. un cadeau
7. aller au galop
8. un chevalier
9. le Moyen Âge
10. une caverne

D. Dans le texte, vous avez lu quelques exemples des énigmes. Est-ce que vous en connaissez d'autres? Ah, oui? Alors posez-les!

E. Enfin, pouvez-vous écrire un paragraphe qui raconte une autre aventure du Chevalier Au Rat? Voilà quelques suggestions:

1. Michel et La Sorcière
2. Michel et Le Dragon
3. Michel au Château des Fantômes
4. Le Chevalier Au Rat en Angleterre
5. Michel et La Prisonnière du Sorcier

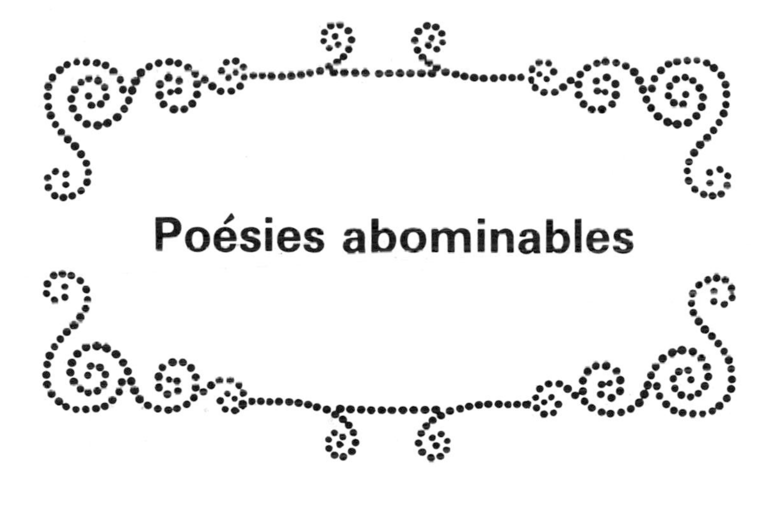

Poésies abominables

I

On a soif

À Paris habitait un vampire
  dont la soif commençait à grandir.
La nuit il entrait
  au Crédit Lyonnais
  les veines d'une victime pour ouvrir.

L'étude du poème

I. Vocabulaire

dont	de qui
la soif	on a soif quand on veut boire
Crédit Lyonnais	une banque

II. Travaux poétiques

A. Comprenez-vous ce petit poème? Alors, voilà quelques questions pour vous!

1. Où habitait le vampire?
2. Quel problème avait-il?
3. Quand est-il sorti de chez lui?
4. Pourquoi entrait-il dans une banque? Et pourquoi pas dans un café?
5. Qui était probablement sa victime?

B. Écrivez ce misérable poème en forme de paragraphe. Attention! Il faut changer un peu l'ordre des mots.

Bon! Vous êtes prêt(e) à lire un autre poème? Allons-y!

II

Le nouvel époux

Pour les Français, le quatorze juillet,
  c'est une fête spéciale, un congé.
Un gorille pas très sage
  est sorti de sa cage
  le quatorze, et s'est vite marié!

L'étude du poème

I. Vocabulaire

un époux	un mari
un congé	un jour où on ne travaille pas
sage	intelligent, juste et prudent

II. Travaux poétiques

A. Voulez-vous bien répondre à ces questions? Merci!

1. Quelle fête est-ce qu'on célèbre en France le quatorze juillet?
2. Que fait-on pendant ce jour de fête?
3. Où habitait le gorille?
4. Qu'a-t-il fait? Comment? Imaginez les détails.
5. Comment s'est-il vite marié? Avec qui? Dans quelles circonstances bizarres?

B. Avez-vous remarqué le mot *nouvel* dans le texte? Dans un dictionnaire on trouvera *nouveau/nouvelle*. Et alors? Alors, il y a une histoire intéressante! Regardez ces adjectifs:

masculin	*féminin*
nouveau (nouvel); nouveaux	nouvelle; nouvelles
vieux (vieil); vieux	vieille; vieilles
beau (bel); beaux	belle; belles

La forme entre parenthèses s'emploie au masculin du singulier *devant une voyelle ou un h muet*:

un nouveau poème
un nouvel époux
un nouvel hôtel

Au pluriel, il n'y a pas de distinction écrite:

de nouveaux poèmes
de nouveaux époux

Bon, c'est à vous! Employez la forme correcte du mot entre parenthèses:

1. le ________ journal (nouveau)
2. la ________ dame (vieux)
3. un ________ hôtel (beau)
4. une ________ voiture (beau)
5. les ________ journaux (nouveau)
6. de ________ espoirs (beau)
7. un ________ époux (vieux)
8. les ________ époux (vieux)
9. la ________ voiture (nouveau)
10. de ________ gorilles (beau)
11. les ________ dames (vieux)
12. de ________ villes (nouveau)

C. Et enfin, regardons la formation du féminin des mots en *-x*: époux, heureux, jaloux, etc. Pour la plupart, il est simplement question de remplacer *-x* par *-se*:

mystérieu*x* — mystérieu*se*
épou*x* — épou*se*

Compris? Bon! Cherchez la forme du féminin:

1. jaloux
2. un époux jaloux
3. curieux
4. superstitieux
5. heureux
6. un époux heureux
7. joyeux
8. merveilleux
9. furieux
10. malheureux

Remarquez que l'anglais a pris et emploie toujours quelques-unes de ces formes du féminin: *mysterious*, *spouse*, etc.

Alors, êtes-vous prêt(e) à continuer ce voyage poétique? Allons-y!

III

Vert, mais humain

Madame me demande: «Qu'est-ce que c'est?»
(comme elle est au Végain présentée)
— Il est vert comme une pomme!
Est ce vraiment un homme?
— Je le suis, dit-il. Viens m'embrasser!

L'étude du poème

I. Vocabulaire

Végain qui vient d'une planète du système solaire de Véga

II. Travaux poétiques

A. Comprenez-vous l'histoire de ce poème? Bon! Voilà des questions, alors!

1. Imaginez les circonstances du poème. Où est-ce qu'on était?
2. Qui raconte l'histoire? (Combien de personnages y a-t-il?)
3. Qui est la dame? Décrivez-la.
4. Donnez les trois phrases de la dame.
5. Pourquoi a-t-elle été surprise par le Végain?
6. Comment le Végain voulait-il répondre à la dame?
7. Imaginez le résultat de cette rencontre!

B. Dans le poème, vous voyez les mots *vert comme une pomme*. Pouvez-vous trouver d'autres expressions de la même forme? Employez les mots suivants:

1. petit comme
2. rouge comme
3. heureux comme
4. grand comme
5. stupide comme
6. jaune comme
7. laid comme

Et enfin, voilà le dernier de ces poèmes abominables:

IV

Dégagement

Pendant que je dormais au centre chaud de mon lit
l'autre moi s'est décidé à faire une promenade,
s'est légèrement levé du lourd fardeau de chair et
a passé par la fenêtre ouverte de ma chambre
pour se trouver en pleine rue.

Et me voilà en deux têtes à la fois:
celle du moi qui dormait et
celle du moi qui se promenait.

Je ne savais pas que j'étais composé de comités, moi!
Je me croyais tout seul chez moi.
Évidemment, le petit peuple de mon subconscient
s'est donné le suffrage, a voté et a décidé de
poursuivre d'autres chemins à part le moi conscient.
Eh bien, au revoir!
Mais je me sens pourtant un peu vide.

L'étude du poème

I. Vocabulaire

le dégagement	action de se séparer de quelque chose
lourd	le contraire de *léger*; qui pèse beaucoup
un fardeau	quelque chose qui pèse lourdement; quand on met beaucoup de choses sur le dos d'un cheval, on dit que le cheval porte un lourd fardeau
la chair	(ici) le corps humain
celle	(pronom) = la tête du moi qui . . . et la tête du moi qui . . .
le subconscient	la partie de l'esprit où se cachent les désirs et les sentiments secrets qui s'expriment parfois dans nos rêves
pourtant	cependant

II. Travaux poétiques

A. Quoi? Vous dites que ce poème est un peu compliqué? Mais non! Répondez à ces questions et vous allez voir que vous avez tout compris!

1. Où était la personne qui parle?
2. Que faisait cette personne?
3. Qui était «l'autre moi»? Que faisait-il?
4. Selon le poème, qu'est-ce qu'on doit faire pour «libérer» le subconscient?
5. Expliquez le titre, *Dégagement*.

B. Dans le texte nous avons le mot *celle*. C'est un pronom. Comment l'employer? Eh bien, regardez ces exemples:

Voilà ma voiture et *la voiture* de Paul.

Voilà ma voiture et *celle* de Paul.

Il parle de sa femme et de *la femme* de M. Leroux.

Il parle de sa femme et de *celle* de M. Leroux.

Compris? On ne veut jamais trop se répéter.

Remarquez: celle = ce + elle.

Est-ce qu'il y a d'autres formes? Mais bien sûr. Les voilà:

	EXEMPLES
ce + lui = celui	*le mari* d'Anne et *celui* de Josette

ce + eux = ceux	*les livres* de Jean et *ceux* de Raoul
ce + elle = celle	*la porte* de la cuisine et *celle* du salon
ce + elles = celles	*les dames* qui restent et *celles* qui sont parties

Bon! Maintenant, c'est à vous! Remplacez les mots en italique par la forme correcte de *celui* ou d'*à celui*:

1. J'ai mon livre et *le livre* de Mme Dufarge.
2. Il cherche sa clé et *la clé* de sa femme.
3. Où sont mes filles et *les filles* de mon voisin?
4. Je vais donner ces bonbons *au garçon* qui court le plus vite.
5. Elle parle de *la fille* qui pleure.
6. Nous ne connaissons pas *les touristes* qui étaient là.
7. Ma voiture est rouge. *La voiture* de mon voisin est brune.
8. Donnez-moi *le journal* qui est sur la table.
9. Non, je n'aime pas les journaux de province; je préfère *les journaux* qui viennent de Paris.
10. Il a donné ses bonbons à la fille au tricot vert, à *la fille* au tricot bleu, aux garçons dans le parc et *aux garçons* qui jouaient dans la rue.

Et voilà! Nous avons bien terminé notre étude poétique!

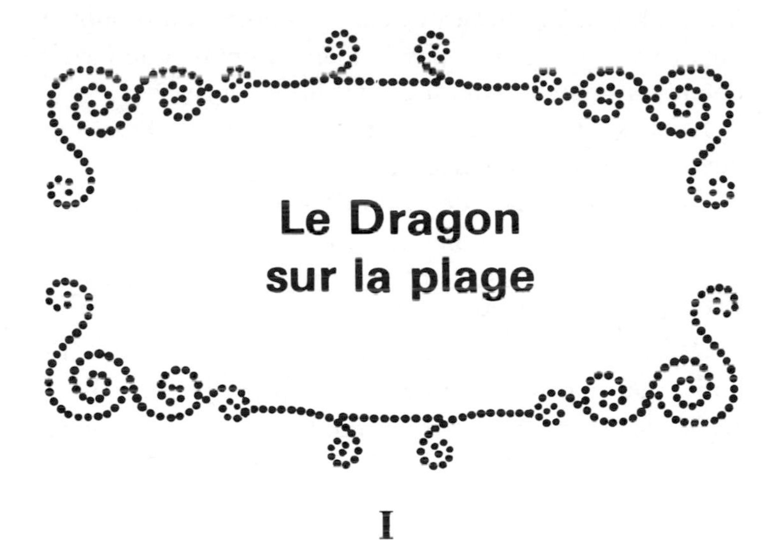

Le Dragon sur la plage

I

– Professeur! Professeur Boucheron! Mais bonjour! Venez vous asseoir ici à ma table!

J'étais tout seul à Dakar et je commençais à croire que je ne connaissais personne au Sénégal. C'était alors pourquoi j'étais si heureux de voir entrer au Café Colonial mon ancien professeur d'archéologie, Claude Boucheron. Dieu! Comme il nous faisait travailler pour réussir à son cours de principes archéologiques! C'était à l'Université de Caen, il y a quinze ans.

J'avais lu dans le journal que le professeur et sa petite troupe d'archéologues étaient partis pour l'Afrique quand j'étais toujours en France. Maintenant, me voilà un an plus tard en Afrique aussi.

Le professeur est venu s'asseoir à côté de moi. J'ai commandé deux bières et puis je l'ai regardé de près. Il devait être malade! Sa peau était tout à fait pâle, ce qui n'est pas facile en Afrique sous un soleil tropique!

Ses yeux étaient entourés de cercles noirs et il tremblait sans cesse. Ce n'était pas le même homme que j'avais connu en France. Qu'est-ce qui lui est arrivé?

— Mais, Professeur, qu'est-ce qu'il y a? Êtes-vous peut-être malade? lui ai-je demandé.

Je n'avais jamais été subtil, voilà pourquoi je suis reporter de l'AFP et non pas archéologue!

— Oh, ça, ce n'est rien, m'a-t-il répondu faiblement. C'est que je sors si peu.

Mais quand il m'a jeté un regard troublé, j'ai compris qu'il y avait peut-être une bonne histoire à découvrir. Je sais maintenant ce qui le troublait, mais je ne pourrai jamais le publier. L'AFP croirait que je suis devenu fou.

En tout cas, après quelques bières, le professeur a dit qu'il devait rentrer. Il s'est levé lentement et, juste avant de partir, il m'a invité chez lui ce soir-là. Il m'a promis une explication de son aspect de fantôme. Il allait me faire cette confidence car j'étais un de ses anciens étudiants, je suppose.

Ça va sans dire que j'ai vite accepté et que je suis allé lui rendre visite à huit heures. Son appartement était petit et pas très moderne. D'après ce que je comprenais, il était en train de se préparer pour son retour à Caen après des excavations archéologiques. Sans perdre de temps, j'ai commencé à l'interroger.

— Eh bien, Professeur, qu'est-ce qu'il y a? Vous avez le visage plein de malheur.

— Malheur? Vous croyez que c'est ça, le malheur? Non, ce que vous voyez sur mon visage, c'est la terreur, la peur.

— Mais pourquoi? Ne me dites pas qu'un de vos monstres pétrifiés soit venu vous parler?

— Ne soyez pas ridicule! Ce qui me trouble est . . .

est . . . comment est-ce que je vais vous l'expliquer? Eh bien, je vais tout vous dire. Restez là et écoutez sans m'interrompre.

Et alors, Claude Boucheron m'a raconté cette histoire bouleversante de sa découverte sur la plage:

– C'était juin passé que nous avons quitté Dakar en avion pour aller à Saint-Louis sur la côte. Ma fille, Lucienne, était avec moi. Son mari, Pierre Rocher, nous accompagnait aussi. A Saint-Louis nous avons rencontré des collègues sénégalais et nous sommes partis en jeeps pour une excavation au bord de la mer à 160 kilomètres au nord de la ville. Il était question des traces d'un dinosaure immense, plus long que le célèbre Brontosaure. Quelques Sénégalais avaient trouvé ces traces et étaient venus annoncer leur découverte à nos collègues.

Après deux journées de voyage–il nous a fallu deux jours car les routes n'étaient pas en bon état–nous sommes arrivés à l'endroit. Il y avait toujours quelques ouvriers là, et ils nous ont montré les traces qu'ils avaient déjà découvertes. J'ai vu seize empreintes de ces pieds énormes et j'ai su tout de suite que c'était une découverte très importante. Vous comprenez que j'espérais retrouver des os pétrifiés de cet animal, peut-être un fossile complet!

Première partie: vérification

I. Vocabulaire

Dakar grande ville francophone, la capitale du Sénégal, sur l'Atlantique

le Sénégal — république francophone de l'Afrique occidentale
l'AFP — l'Agence France Presse, comme l'AP (Associated Press) aux États-Unis
soit — forme du subjonctif d'*être* (à comprendre comme *est*)
soyez — forme de commande d'*être*
bouleversant — qui cause une violente émotion; qui est plein de surprises
Saint-Louis — ville et port du Sénégal au nord de Dakar

II. Travaux pratiques

A. Alors, nous lisons une histoire bien différente des autres. Vous comprenez ce qui se passe, n'est-ce pas? Bon! Répondez alors à ces questions:

1. Qui présente cette histoire de Claude Boucheron? Pourquoi est-il allé en Afrique? Que savez-vous de sa vie?
2. Et qui est Claude Boucheron?
3. Où est-ce que ces deux hommes se sont rencontrés?
4. Décrivez Boucheron. Comment était-il?
5. Quelle invitation Boucheron a-t-il donnée à l'autre? Pourquoi?
6. Avec qui Boucheron a-t-il voyagé?
7. Boucheron et ses collègues, où sont-ils allés? Pourquoi?
8. Comment y est-on allé?
9. Arrivé à l'endroit, qu'est-ce que Boucheron a su tout de suite?
10. Qu'espérait-il retrouver?

B. Et maintenant, pour notre deuxième présentation: la différence entre

qu'est-ce *qui*
qu'est-ce *que*

Regardez ces deux exemples:

Qu'est-ce qui arrive à M. Boucheron?
Qu'est-ce que M. Boucheron dit?

Et la différence? Oui! *Qu'est-ce qui* s'emploie comme *sujet* (le sujet d'*arrive*). *Qu'est-ce que* est le *complément direct* (M. Boucheron dit ________).
Alors, employez la forme correcte:

1. ________ vous regardez?
2. ________ vous trouble?
3. ________ est arrivé aux archéologues?
4. ________ la dame nous a dit de faire?
5. ________ je dois faire?

C. Et c'est la même chose quand vous rapportez les paroles d'autres personnes:

Il ne sait pas *ce qui* arrive. (Qu'est-*ce qui*)
Il ne sait pas *ce que* je fais. (Qu'est-*ce que*)

Rien de plus simple, hein? Alors, c'est à vous! Répondez à la question en employant *je ne sais pas . . .*

1. Qu'est-ce qui trouble le professeur?
2. Qu'est-ce qui est arrivé aux Sénégalais?
3. Qu'est-ce qu'elles ont dit?

4. Qu'est-ce que les archéologues ont découvert?
5. Qu'est-ce que nous allons faire?

D. Dans le texte, vous avez peut-être remarqué quelques formes du passé que vous ne connaissez pas encore. Eh bien, les voilà! Vous comprenez très bien la formation du passé composé:

il a parlé	il est allé
nous avons parlé	nous sommes allés

Et vous connaissez les formes de l'imparfait:

il avait	il était
nous avions	nous étions

Eh bien, si vous faites une combinaison de l'imparfait d'*avoir* (ou d'*être*) et un participe passé, vous allez découvrir le *plus-que-parfait*:

il avait parlé	il était allé
nous avions parlé	nous étions allés

A quoi bon cette forme? Eh bien, le plus-que-parfait indique une action passée qui était terminée avant une autre action passée. Voilà quelques exemples:

J'*ai lu* qu'il *avait quitté* la ville.

Nous *étions* surpris d'entendre dire qu'ils *avaient retrouvé* le fossile.

Les Sénégalais *avaient quitté* la ville depuis deux mois quand nous y *sommes arrivés*.

Alors, voilà des phrases au passé composé. Mettez-les au plus-que-parfait!

1. *Il a regardé* les os.
2. *Nous avons vu* ce fossile.
3. *Je suis allé* à son appartement.
4. *Elles ont quitté* Dakar en juin.
5. *Elles sont venues* à Saint-Louis.

Trop facile? D'accord! Alors, voilà des phrases à l'imparfait. Mettez-les au plus-que-parfait!

6. Il neigeait.
7. Vous reveniez trop tard.
8. Nous mangions tout.
9. Les os étaient excavés.
10. J'espérais retrouver un fossile complet.

Et voilà quelque chose d'intéressant: *devoir* peut indiquer aussi quelque chose qui est *probablement* vrai!

Il devait être malade = Il était probablement malade.

Elle doit parler français = Elle parle probablement le français.

Compris? Bon! Voilà des phrases pour vous. Mettez *devoir* dans chaque phrase. Donnez la forme du présent ou la forme de l'imparfait.

1. Ils avaient peur.
2. Vous êtes malade.
3. Elle cherchait partout.
4. Il était fatigué.
5. Vous aviez faim.

F. Que savez-vous de l'archéologie? Des méthodes archéologiques? Des dinosaures? Et enfin, que savez-vous de l'Afrique francophone? Mettez ce que vous savez en quelques paragraphes assez courts.

Et enfin, retournons à Dakar!

II

— Alors, me disait le professeur Boucheron, le lendemain, nous avons commencé à excaver sur la plage. Le monstre avait marché le long de la côte, près de la mer, du sud au nord. Donc, nous pouvions deviner la position de chaque empreinte en mesurant la distance entre les pas déjà découverts. Nous travaillions ainsi pendant deux semaines. Nous avons enfin excavé presque quarante empreintes.

J'ai envoyé un télégramme à l'Université pour demander la permission d'engager encore une dizaine d'ouvriers. On m'a refusé, naturellement. J'étais furieux contre la stupidité administrative, car il me semblait que nous avions trop de travail pour quinze personnes. Aujourd'hui, je suis bien heureux de ce refus. Il y a seulement huit témoins à ce que nous avons enfin découvert.

Je savais qu'un autre collègue, Sébastien Leroux—vous le connaissez, peut-être; il est aussi de Caen—était au Mali, à Tombouctou, et je l'ai invité à nous rejoindre. Il a vite accepté mon invitation et il était donc aussi témoin.

Pendant que nous travaillions à l'endroit de la quarante-deuxième empreinte, un de nos ouvriers a fait une découverte étonnante. Il était allé enterrer les restes de notre repas loin du camp. Comme il excavait un trou, sa pelle a frappé contre quelque chose de très dur. C'était une autre empreinte! Et cette empreinte était tout différente de celles de la première série!

Nous avons laissé le chemin de notre premier reptile pour aller regarder ces nouveaux pas. C'était sans doute une autre bête! Comme nous découvrions encore quelques empreintes, j'ai remarqué que ce deuxième reptile marchait à deux pattes—l'autre marchait à quatre pattes, je vous l'ai déjà dit, n'est-ce pas—et il était peut-être semblable à ce dinosaure américain, le Tyrannosaure.

Alors, le travail était bien dur. Les matins, nous excavions au bord de la mer en suivant le chemin du dinosaure que j'appelais le «Sénégalosaure». Les après-midi, nous allions excaver les empreintes de l'autre bête que j'appelais le «Gambiosaure». Gambi était l'ouvrier qui avait découvert les empreintes.

Quelques jours après, il nous est devenu clair que les deux chemins allaient se rencontrer. En effet, les empreintes du Sénégalosaure étaient plus loin les unes des autres: l'animal voulait courir. Mais imaginez comment court une bête plus grande que trois baleines rangées tête-à-queue!

Et, à un endroit, les empreintes du Gambiosaure étaient l'une à côté de l'autre. L'animal s'était arrêté, peut-être pour surprendre sa victime. Nous avons trouvé là les empreintes de ses deux petites pattes antérieures.

Est-ce que le reptile s'était couché derrière des arbres? Peut-être. Je ne sais pas encore.

Enfin, nous avons compris que, si nous nous approchions vraiment d'un champ de bataille, nous allions certainement retrouver le squelette du Sénégalosaure. Ça va sans dire que nous avons travaillé beaucoup plus dur pour arriver à l'endroit où ces deux chemins devaient se rencontrer.

D'un côté, nous avons découvert l'endroit où le Sénégalosaure a remarqué le prédateur, car il y avait les empreintes d'une bête qui court. Mais courir chez un dinosaure aussi énorme, ce n'est pas aller très vite.

De l'autre côté, le Gambiosaure s'était relevé et avait commencé à poursuivre sa victime. Il y avait 30 mètres entre les deux bêtes, puis 25 mètres, puis 20 mètres. Leroux parlait déjà de la disposition du squelette. Il me disait toutes les dix minutes que je devais demander de l'argent supplémentaire pour ce projet. Tout le monde riait. C'était tout à fait naturel, je suppose. Après des semaines de travail fatigant, nous étions sur le point de découvrir ce squelette d'herbivore inconnu.

— Et vous l'avez trouvé, ce squelette? lui ai-je demandé.

— Naturellement! Mais laissez-moi vous le raconter de ma façon. Ici l'histoire devient un peu . . . disons incroyable.

Deuxième partie: vérification

I. Vocabulaire

une empreinte la trace de quelque chose
une dizaine dix, plus ou moins

un témoin quelqu'un qui a vu ou entendu quelque chose et qui peut alors le rapporter

une pelle instrument qu'on emploie pour creuser un trou dans la terre

une baleine énorme animal marin; Moby Dick était une baleine célèbre

II. Travaux pratiques

A. Alors, vous avez compris jusqu'à ce point l'aventure du professeur Boucheron? Bon! Les réponses à ces questions seront sans doute faciles à trouver!

1. Comment a-t-on pu retrouver les autres empreintes du Sénégalosaure après la découverte de ses premières traces?
2. Où étaient-elles, ces empreintes?
3. Boucheron, qu'a-t-il demandé à l'Université de Caen?
4. Quelle était la réponse? Pourquoi est-ce que Boucheron est actuellement heureux de cette réponse?
5. Quel autre célèbre archéologue est venu les rejoindre? D'où est-il venu?
6. Quelle était la découverte étonnante de l'ouvrier?
7. Expliquez les termes «Sénégalosaure» et «Gambiosaure».
8. Quelles étaient les différences entre les deux bêtes?
9. Qu'est-ce qui est devenu clair aux archéologues quelques jours plus tard?
10. Quelle était la longueur du «Sénégalosaure»? Comment courait-il?

11. D'après le témoignage des empreintes, le «Gambiosaure», qu'a-t-il fait?
12. Qu'est-ce qu'on espérait retrouver au champ de bataille?
13. Que disait toujours Leroux? Qu'est-ce que ça montrait chez lui?
14. Décrivez le drame des deux bêtes, la victime et le prédateur.

B. Vous connaissez déjà très bien les numéros: un, quatre, etc. Mais ce sont des numéros exacts. Si vous ne vouliez pas dire *dix exactement*, mais *dix plus ou moins*, que diriez-vous? Oui! *Une dizaine*. Il y a aussi *une douzaine*, *une cinquantaine*, etc. Alors, voilà des numéros exacts. Donnez la forme qui veut dire *plus ou moins*, *environ*:

1. vingt
2. quarante
3. cent
4. quinze
5. trente

C. Une autre forme du verbe que nous n'avons pas encore regardée, c'est *le participe présent*. Vous connaissez déjà le participe passé, n'est-ce pas? Bon! Alors, le participe présent se forme régulièrement de la forme *nous* du présent moins *-ons*, plus *-ant*:

nous finissons	finiss///	finissant
nous cherchons	cherch///	cherchant
nous étonnons	étonn///	étonnant

Il y a trois exceptions:

avoir — *ayant* être — *étant* savoir — *sachant*

Le participe présent s'emploie surtout après *en*:

> *En cherchant* les fossiles, il a retrouvé bien des choses étonnantes.

Eh bien! Au travail! Remplacez *pendant que* par *en* et mettez la forme juste du participe présent.

> EXEMPLE: *Pendant qu'elle lisait*, elle apprenait beaucoup.
> *En lisant*, elle apprenait beaucoup.

1. *Pendant qu'il travaillait* si dur, il est tombé malade.
2. *Pendant que nous faisions* le tour du monde, nous avons vu des villes merveilleuses.
3. *Pendant que M. Boucheron excavait* les empreintes du dinosaure, il ne pensait pas à autre chose.
4. J'ai rencontré beaucoup de Français *pendant que j'habitais* à Dakar.
5. *Pendant que le prédateur se cachait* derrière les arbres, il pouvait regarder sa victime.

D. Vous connaissez très bien le passé composé, n'est-ce pas? Avec *être*, le participe passé change comme un adjectif: "elles sont *sorties*." Et avec *avoir*? Vous avez appris qu'avec *avoir* le participe ne change pas: "elles ont *parlé*." Bon! Mais malheureusement il y a une exception. Regardez:

> Boucheron a retrouvé les grands os.

Qui a retrouvé les os? Boucheron. C'est le *sujet*.

Qu'est-ce qu'il a retrouvé? Les grands os. C'est le *complément direct*. Dans la phrase, nous avons alors:

Sujet	*Verbe Auxiliaire*	*Participe Passé*	*Complément Direct*
Boucheron	a	retrouvé	les grands os.

Si le complément direct vient *après* le verbe, le participe ne change pas. Mais regardez la résponse à la question suivante:

> Boucheron a retrouvé les grands os?
>
> Oui, il les a retrouvé*s*.

Le complément direct? C'est *les*. *Les* vient devant le verbe; alors, le participe passé change comme un adjectif selon la forme du complément direct:

> Le livre, je *l'*ai trouvé.
> La plume, je *l'*ai trouvé*e*.
> La tasse, je *l'*ai rempli*e*.
> Les tasses, je *les* ai rempli*es*.
> Les livres, je *les* ai vendu*s*.

Compris? Bon! Alors, répondez à ces questions en employant *le*, *la*, *les* (compléments directs).

1. Leroux a découvert des fossiles (*m.*)?
2. Boucheron a attendu les voitures (*f.*)?
3. Les gens ont regardé les os (*m.*)?
4. La fille de Boucheron a retrouvé l'os énorme?
5. Vous avez vu toutes les anciennes ruines?

6. Elles ont rempli le bassin d'eau?
7. Vous avez pris ces photos (*f.*)?
8. Le prédateur a vu sa victime de loin?
9. Vous avez écrit ces lettres (*f.*)?
10. Ils ont mis les os dans la boîte?

E. Discussion

1. Que pensez-vous de l'archéologie? Ça doit être intéressant?
2. Où doit-on aller pour retrouver les squelettes des dinosaures?
3. Y a-t-il des fossiles à trouver près de chez vous? Les restes d'autres civilisations?
4. Comment nomme-t-on les dinosaures?

Avez-vous d'autres questions? Non? Très bien, retournons à l'histoire pour savoir ce qui est enfin arrivé à Boucheron!

III

— Eh bien, les deux bêtes étaient très près l'une de l'autre. Il y avait à peu près douze mètres entre elles quand nous avons perdu leurs traces. Mais un peu plus loin, où nous les avons retrouvées, il y avait une surprise: un squelette.

— Mais vous m'avez dit que vous vous attendiez à retrouver un squelette, n'est-ce pas?

– Certainement, le squelette du Sénégalosaure. Mais en tout cas, nous sommes arrivés à l'endroit où ces deux bêtes gigantesques avaient lutté l'une contre l'autre. Les deux chemins d'empreintes énormes allaient en cercles, indiquant que les deux animaux s'étaient battus. Nous n'avions pas assez d'ouvriers pour découvrir toutes les empreintes, mais les détails de la bataille étaient quand même assez clairs.

Enfin, un soir, un des ouvriers–c'était Kimi-Antoine Mojasa, je crois–est entré dans ma tente pour me dire qu'on avait trouvé un os pétrifié. Je suis vite allé le regarder. C'était un tibia! Alors, nous étions en train de découvrir notre bête!

Il nous a fallu encore quatre jours pour retrouver tout le squelette. Enfin, toutes les pièces étaient rangées dans notre camp comme elles avaient été dans la terre. Et voilà ce qu'il y avait de bizarre: c'étaient les os du Gambiosaure!

– Je ne comprends pas, Professeur. Pourquoi est-ce que c'était bizarre?

– Voyons! Le Gambiosaure était prédateur! C'était lui qui devait tuer l'autre bête! Nous ne pouvions pas comprendre comment il était mort.

– Et c'est tout? Vous vous donnez tant de peines à cause de ça?

– Non, il y a . . . il y avait encore quelques découvertes. Vous n'allez peut-être pas me croire, vous croirez que je suis fou. Tant pis! Il me faut parler à quelqu'un!

Comme j'examinais les os fossiles, j'ai regardé pour la première fois de près le crâne de la bête. Le devant était tout noir, brûlé, on dirait. Et il y avait un trou qui passait entre les yeux et sortait au derrière du crâne. Il m'a fait penser au trou qu'un laser ferait, car c'était très net, très droit et parfaitement rond.

Leroux, mon beau-fils et moi, nous avons discuté cette découverte pendant des heures. Je n'ai pas pu dormir. Un laser? A l'ère secondaire? Impossible!

Nous sommes restés là encore quelques jours. Enfin, j'ai dit aux ouvriers de rechercher les empreintes de l'autre bête. Ils les ont retrouvées. Notre Sénégalosaure avait quitté l'endroit, mais comme les empreintes étaient très près les unes des autres, il nous semblait que l'animal avait été blessé à mort. A quarante mètres du premier squelette, nous avons découvert un autre . . . «squelette».

Là, c'était la dernière demeure du Sénégalosaure. Mais il n'y avait pas d'os. Il y avait des morceaux d'un plastique inconnu, des fragments métalliques et d'autres objets étranges.

Pour le pauvre Leroux, cette découverte a été trop. Il nous a quittés le lendemain. J'ai reçu une lettre de sa femme il y a quatre jours; elle m'a écrit qu'il est devenu fou quelques jours après son retour à Tombouctou. Ma fille et son mari m'ont dit de ne rien annoncer et de chasser les ouvriers du site mystérieux.

Alors, qu'est-ce que je peux ajouter? Nous avions découvert un dinosaure synthétique. C'était peut-être une voiture pour des explorateurs, je ne sais pas. Le Gambiosaure l'avait ruinée, et la voiture était alors tombée en panne.

Fini de parler, le professeur est resté là sans rien ajouter, sans faire aucun geste. Moi, je l'ai quitté après un peu. Il ne m'a pas dit au revoir.

Quelques jours après, j'ai entendu dire qu'il était mort. Quand j'ai parlé à sa fille de la découverte, elle a jeté un regard effrayé à son mari et m'a dit que le projet a été abandonné.

Quant à moi, ce qui me gêne, ce n'est pas du tout cette voiture-dinosaure—ça, c'est une question de technologie. Il y a une autre chose qui m'intéresse: quel peuple avait construit la voiture, et qu'est-ce qu'on faisait sur la Terre des millions d'années avant la naissance du premier homme-singe?

Troisième partie: vérification

I. Vocabulaire

lutter	combattre
le crâne	les os qui forment la tête
l'ère	époque fixe; une des grandes divisions de l'histoire de la Terre
l'ère secondaire	une époque qui a duré de -220 millions d'années à -70 millions d'années
blesser	causer une douleur; donner un coup qui fait une fracture, etc.
en panne	arrêté accidentellement
effrayé	plein de peur

II. Travaux pratiques

A. Un dernier questionnaire, s'il vous plaît, pour montrer votre compréhension superbe!

1. Quelle surprise a-t-on découverte?
2. Pourquoi est-ce que c'était une surprise?
3. Au champ de bataille, que montraient les empreintes?

4. Qui a découvert le tibia? Qu'est-ce qu'un tibia?
5. Qu'est-ce qu'il y avait de bizarre dans le crâne du Gambiosaure?
6. Comment Boucheron décrivait-il ce qu'il a remarqué au crâne?
7. Et le Sénégalosaure, où est-il allé?
8. Au site de la dernière demeure du Sénégalosaure, qu'a-t-on trouvé?
9. Selon le professeur, qu'est-ce que le Sénégalosaure était vraiment?
10. Et Leroux, qu'est-ce qui lui est arrivé?
11. Pourquoi la voiture-dinosaure est-elle restée là?
12. Quelle était la réaction de la fille de Boucheron quand notre ami le reporter d'AFP lui a parlé du projet?
13. Qu'est-ce qui gêne toujours ce reporter?
14. A votre avis, qui était ce peuple qui a construit cette voiture? Et qu'est-ce que ce peuple faisait sur la Terre?

B. Jouons un peu avec l'expression *s'attendre à*. Complétez chaque phrase en employant cette expression au temps imparfait.

1. Je ________ son arrivée.
2. Nous ne ________ pas ________ leur découverte.
3. Ils ________ retrouver un fossile complet.

Dans l'expression *s'attendre à* (*quelque chose*), comment peut-on substituer un pronom à la locution qui commence avec *à*? Regardez:

> Vous vous attendiez *à son refus*?
> Vous vous *y* attendiez?

Alors, répondez à la question en employant *y*:

4. Elle s'attendait à leur succès?
5. Vous attendiez-vous à notre départ?

C. Eh bien, d'habitude vous faites tout le travail vous-même, n'est-ce pas? Mais supposons ceci: vous êtes trop fatigué aujourd'hui et que vous demandez à un ami de répondre aux questions. Comment est-ce que nous décrivons cette situation? Regardez:

Je réponds.
Je *fais* répondre Robert. (mon ami)

Compris? Nous employons *faire + l'infinitif* pour dire que nous avons obligé une personne à faire quelque chose. Alors, employez *faire* dans ces phrases en nous disant ce que tout le monde oblige Robert à accomplir. Par exemple:

Il lit.
Il fait lire Robert.

Eh bien, allons-y:

1. Elles répondent.
2. Je finis.
3. Il travaille.
4. Nous regardons.
5. Vous écrivez.
6. Elle répète.
7. Tu ris.

D. Nous avons déjà mentionné comment le participe passé reçoit de différentes terminaisons, n'est-ce pas? C'était à cause d'un complément direct qui précède le verbe:

Je *les* ai regardé*es*, ces belles fleurs.

C'est la même chose avec *que*:

Les fleurs que j'ai regard*ées* sont belles.

De la même façon:

La dame que j'ai vu*e* est la femme de l'archéologue.
Les livres que j'ai trouvés sont intéressants.

Eh bien, mettez la forme correcte du participe entre parenthèses dans la phrase:

1. Les os qu'ils ont ________ sont là. (découvert)
2. Toutes les filles que j'ai ________ étaient belles. (vu)
3. Quel était l'os qu'il a ________? (retrouvé)
4. Voilà les statues que mon père a ________. (créé)
5. Je n'ai pas ________ la lettre! (écrit)
6. Où est la photo que nous avons ________ sur la table? (mis)
7. Où sont les filles et les garçons qu'elle a ________ hier? (remarqué)
8. Voilà la lettre que j'ai ________. (préparé)
9. Quels sont les verres que vous avez ________? (rempli)
10. Où est cette voiture célèbre rouge claire, belle comme un matin au printemps que vous m'avez ________ dans votre lettre? (mentionné)

E. Connaissez-vous d'autres histoires de mystères? Qu'est-ce que les archéologues ont découvert qu'ils ne peuvent pas expliquer?

Le Jour où les marsouins sont partis

Pièce en trois actes

Les personnages

(par ordre d'entrée en scène)

Lucien Rochereau	jeune homme; fils d'Henri Rochereau; directeur de programmation à Cousteauville
Catherine Duclos	jeune femme; psychologue spécialisée dans la psychologie des marsouins
Henri Rochereau	vieil homme; directeur des recherches sous-marines à Cousteauville
Babor	grand marsouin mâle; adjoint au premier ministre des marsouins de la région atlantique

Phina	marsouin femelle de taille moyenne; épouse de Babor et directrice des recherches humaines
Jean-Claude Michaux	homme de taille moyenne; inspecteur général des emplacements sous-marins de l'Union Francophone; directeur de CRESMAR (Centre de Recherches et d'Études Sous-marines)
Viclo	vieux marsouin mâle; premier ministre de la région atlantique
deux techniciens	des hommes qui travaillent dans le centre de communications
Présentateur	qui prononce le Prologue

Prologue

Présentateur

Messieurs et Mesdames du Grand Conseil de l'Union Francophone, nous avons découvert, il y a bien vingt ans, que l'Homme n'est pas le seul être rationnel de la Terre. Nous partageons notre monde avec une autre espèce de mammifère qui est notre égale, même notre supérieure en certains cas. Je parle naturellement des marsouins.

Parce que ces êtres marins ont une intelligence tellement différente de la nôtre, nous n'avions jamais compris les messages qu'ils nous avaient envoyés à travers les années. Pourtant, depuis la dernière moitié du vingtième siècle, quand les hommes ont commencé à faire des plongées de plus en plus fréquentes, nos scientifiques ont fait des expériences étonnantes chez les marsouins.

C'était le commandant Cousteau, océanographe et cinéaste de la vieille France, qui a imaginé notre appareil de plongée moderne, le scaphandre autonome. C'était lui aussi qui a conduit tant de campagnes océanographiques et a réussi à attirer l'attention du monde sur la richesse des mers. Quand l'Union Francophone s'est décidée à construire la première ville sous-marine entre Marie-Galante et la Guadeloupe aux Petites Antilles, c'était tout à fait naturel qu'on l'ait nommée Cousteauville.

Notre présentation actuelle se passe tout près de Cousteauville, un certain jour de l'an passé. Comme vous le savez, les marsouins étaient des assistants inestimables pour les colons sous-marins. C'étaient les marsouins qui surveillaient les bancs de poissons, qui défendaient la colonie des requins, qui montraient aux hommes les habitudes de la mer. Ils sont devenus petit à petit indispensables à notre existence sous la mer.

Pourtant, les marsouins avaient toujours trouvé les habitudes humaines un peu, disons, épouvantables. Ils voulaient nous faire comprendre que la pollution des mers était la plus grande folie du monde. On ne les écoutait jamais.

Comme vous pouvez bien l'imaginer, la communication entre les hommes et les marsouins avait toujours été difficile. Ils ont trois langues qu'ils peuvent parler à la fois par trois organes distincts qui produisent des sons de divers types que nous ne pouvons pas entendre. Enfin, c'étaient Henri et Lucien Rochereau qui ont construit un ordinateur-traducteur qui savait traduire de la première langue des marsouins en français et vice-versa. Cependant, cette facilité de communication ne servait qu'à souligner la grande différence entre les marsouins et les hommes: les marsouins étaient surtout philosophes et absolument pas matérialistes; ils pratiquaient la cooperation universelle entre eux et ne se battaient jamais les uns contre les autres.

Enfin le jour est arrivé où les marsouins ne pouvaient plus supporter les abus de l'Homme. C'était le jour où quelques hommes ont enfin compris le pouvoir intellectuel de nos anciens partenaires terrestres. Voilà les dernières heures des marsouins.

Acte Premier

Ce premier acte se passe entièrement sous la surface de la mer. Pour la mise en scène, il suffit d'avoir des spots bleus, verts et jaunes pour donner l'impression sous-marine. Si possible, quelques cordes attachées au plancher et au plafond où sont placées des feuilles marines aideront à la présentation. Aussi, on peut avoir un ou deux rochers, quelques poissons en l'air, etc. Deux plongeurs, Lucien et Catherine, entrent et s'asseyent sur les rochers pour attendre l'arrivée des marsouins. Lucien et Catherine portent des scaphandres autonomes.

Puisque toute communication est à la radio, il faut avoir un centre de communications au devant de la scène, à gauche, où se trouveront Henri Rochereau et les deux techniciens. Le centre se trouve dans une pièce située quelque part sur terre ferme. L'éclairage de cette pièce doit être jaune et blanc.

Quant au marsouins, remarquez qu'ils devront faire surface de temps en temps pour respirer. (Ils ont choisi une rencontre sous-marine pour leur premier rendez-vous avec l'Homme parce qu'ils se sentent plus à l'aise dans leur habitat naturel.)

Lucien

Catherine! Ta radio, fonctionne-t-elle bien?

Catherine

Oui, tout va très bien, Lucien. Attendons les marsouins ici, d'accord?

Lucien

Pourquoi pas? Ils connaissent bien cet endroit. Si je leur annonçais notre arrivée à la radio?

Henri

Inutile, Lucien. Ils savent déjà que vous êtes là. Notre radar indique deux marsouins près de vous.

Lucien

Merci, mon père. Tu vois, Catherine, ils sont devenus trop rusés, ces marsouins. Autrefois, c'était nous qui les aurions appelés. Aujourd'hui, ce sont eux qui nous ont donné rendez-vous!

Catherine

Lucien, ici, c'est leur monde. Ils ont des pouvoirs au-delà de ceux que nous pouvons imaginer. Comment savent-ils toujours la vérité, par exemple? Il ne faut pas essayer de mentir aux marsouins!

Lucien

Je n'en sais rien. Ils ont l'air si . . . si, euh, supérieur, voilà ce qui m'embête! Ce ne sont que des animaux; bien intelligents, soit, mais des animaux tout de même! Et l'Union veut bien les écouter.

Henri

Tu verras, mon fils. On ne doit pas te ressembler pour être humain. Ces marsouins sont beaucoup plus honnêtes, plus braves que la plupart de tes confrères, Lucien!

Catherine

Et, d'après nos tests psychologiques, on pense bien que . . .

Lucien

Chut! Ils arrivent.

(*Deux marsouins nagent vers les plongeurs.*)

Henri

Réglez vos émetteurs, Catherine, Lucien. Nous écouterons tout ce que vous dites et nous vous donnerons des suggestions de temps en temps. Rappelez-vous que vous êtes les émissaires de l'Homme. Nous ne savons pas ce que les marsouins désirent, mais ils ne nous aident plus depuis quelques jours.

Ah, les voilà qui viennent! (*aux techniciens*) Attention à l'ordinateur-traducteur!

Babor

Salut, hommes! C'est moi, Babor, qui vous salue.

Catherine

(*à Lucien*) Hommes! Est-ce qu'il ne voit pas que je suis femme?

Henri

Là, là, ma petite! Babor ne fait pas de distinction entre hommes et femmes. Selon lui, tous les humains se ressemblent.

Lucien

Et tes femmes libérées ont fait tellement de bruit pour effacer ces distinctions, Catherine! Tu dois être bien contente de notre ami Babor.

Phina

Salut! Moi, je suis Phina.

Henri

Pour vous informer, Catherine et Lucien, Babor est l'adjoint du premier ministre de la région atlantique. Phina, qui est moins grande que Babor, est son épouse. Elle est aussi la directrice des recherches humaines de sa région. Nous comprenons très peu l'organisation sociale des marsouins, mais il suffit de vous dire que nos deux visiteurs sont des gens très haut placés.

Catherine

(*à Henri*) Merci, Monsieur. (*aux marsouins*) Salut, Babor! Salut, Phina! Je suis contente de vous voir. Moi, je suis Catherine Duclos. Permettez-moi de vous présenter mon collègue, Lucien Rochereau.

Henri

(*à part, aux techniciens*) Vous remarquerez la formalité des marsouins. Il faut se présenter ainsi chaque fois qu'on se rencontre.

Technicien 1

Mais pourquoi?

Henri

Nous ne savons exactement pas. C'est peut-être parce qu'il y a si peu de différences physiques entre les marsouins.

Technicien 2

Ou peut-être qu'ils sont plus gentils que nous autres humains.

Henri

Chut! On continue.

Catherine

Nous nous connaissons déjà, n'est-ce pas, Babor?

Babor

Oui, Catherine, c'est vrai. Mais qui sont les autres?

Lucien

Les autres?

Phina

Il y a trois autres hommes qui nous écoutent et qui vous parlent.

Babor

Ils ne nous parlent pas, mais leurs paroles sont faciles à entendre.

Lucien

Oh! Ce sont les techniciens qui font marcher l'ordinateur.

Babor

Et l'autre?

Lucien

C'est mon père, Henri Rochereau.

Phina

Il ne vient pas chez nous?

Catherine

Il ne le peut pas, Phina; il est malade.

Babor

Ce n'est pas vrai, Catherine, mais ça suffit. Je vous comprends.

Catherine

(*à Lucien*) Tu vois? Ils savent toujours la vérité.

Babor

Vous vous demandez pourquoi nous avons voulu ce rendez-vous. C'est facile à expliquer: nous voulons parler directement au chef de votre gouvernement. Nous avons un message urgent à lui communiquer.

Lucien

Parler avec notre président? Impossible!

Phina

Ce n'est pas nous qui voulons lui parler; c'est le premier ministre de notre région, Viclo.

Catherine

Tout de même, je ne crois pas que ce soit possible. Le président de l'Union Francophone habite loin, à Dakar. Il ne pourra pas venir tout de suite.

Henri

(*directement aux marsouins*) Mais voyons, vous dites que Viclo est le premier ministre de votre région?

Babor

Oui, c'est vrai. Il est chargé du gouvernement de l'Atlantique.

Henri

Alors, si nous vous donnions rendez-vous avec l'inspecteur général de notre région? Lui, il pourra communiquer votre message tout de suite au président de l'Union.

Babor

Très bien. Vous parlez vrai et nous acceptons. Nous reviendrons demain à la marée haute. Au revoir.

Henri

Attendez un moment, s'il vous plaît!

Phina

Qu'est-ce qu'il y a?

Henri

Monsieur l'Inspecteur Général ne fait pas de plongées. Il ne voudra pas descendre masque et palmes vous parler. Est-ce qu'il pourra rester ici avec nous sur la terre?

Babor

Non. Dites-lui de se présenter au bout du quai près de l'entrée de Cousteauville. Nous serons là. A demain!

(*Les marsouins s'en vont.*)

Acte deuxième

La Scène: Le deuxième acte se passe à la surface de la mer. Il y a un quai qui vient de la gauche, du centre de communications. Lucien, Catherine et Jean-Claude Michaux sont sur le quai. L'éclairage sera jaune et blanc.

Lucien

C'est ici, Monsieur l'Inspecteur, qu'ils vont venir vous parler.

Michaux

Très bien. Quelle heure est-il, Catherine?

Catherine

Il est . . . oh! les voilà!

Michaux

(*parlant au micro*) Tout va bien avec vos machines, Rochereau?

Henri

Oui, Monsieur. Vous pourrez bien leur parler. Et je me permets de dire que je suis tout à fait étonné de l'importance que vous attachez à ce rendez-vous.

Michaux

Pourtant, vous devez savoir combien ces marsouins nous sont importants. Sans eux, nous devrions quitter notre ville sous-marine.

Catherine

Est-il vrai qu'ils ne nous aident plus depuis quelques jours?

Michaux

Oui, c'est vrai, et nous ne savons pas pourquoi. Nous avons dû retirer du personnel de Cousteauville.

Lucien

Ils sont tout près.

Babor

C'est moi, Babor, qui vous parle. Salut!

Tout le monde

Salut!

Babor

Vous connaissez déjà Phina. Je vous présente le premier ministre de la région atlantique, Viclo.

Viclo

Salut les hommes!

Lucien

Et nous vous présentons Jean-Claude Michaux, l'inspecteur général des emplacements sous-marins de l'Union Francophone.

Michaux

Salut Viclo, Babor, Phina! Je suis bien heureux de faire votre connaissance. Pourtant, je me demande la raison de cette réunion si grave. Vous nous avez quittés. Vous ne travaillez plus avec nous. Pourquoi?

Henri

(*à Michaux*) Bien fait, Monsieur! Les marsouins aiment bien qu'on leur parle franchement et sans prétention.

Viclo

Nous avons quitté votre ville et vos côtes et vos centres de recherches marines, c'est vrai. Et nous n'y reviendrons pas.

Catherine

Pourquoi?

Michaux

Laisse-moi parler, Catherine. Viclo, c'est insensé. Vous et nous, nous avons beaucoup fait ensemble. Pourquoi est-ce que nous ne. . . .

Viclo

Nous avons beaucoup fait pour vous. Vous étiez les bienvenus chez nous. Nous pensions pouvoir vous apprendre quelque chose, vous qui êtes toujours si fiers.

Babor

Autrefois, les hommes étaient rares et ils ne nous faisaient pas mal. Mais aujourd'hui, il y en a trop, trop je vous dis. Vous avez tout pollué sur la terre et maintenant vous venez tout polluer chez nous.

Phina

Voilà ce que nous ne pourrons jamais tolérer, hommes! Nous ne faisons de mal à personne. Nous vivons en harmonie avec notre environnement.

Michaux

Mais qu'est-ce que vous voulez que nous fassions? Dites-le-moi.

Viclo

C'est déjà trop tard. Nous avons découvert que la pollution est déjà trop répandue. Vous allez passer de mauvaises années avant que la Terre ne redevienne pure. Nous ne savons même pas si ce sera possible.

Lucien

Mais comment le savez-vous? Vous n'avez ni machines ni laboratoires. Vous n'avez que des nageoires, comment pouvez-vous faire des recherches?

Babor

Homme, il est déjà trop tard, comme l'a dit Viclo. Nous ne pouvons plus rester près de vous sans nous faire mal. Alors, essayez de comprendre ceci: Notre civilisation n'est pas du tout matérialiste; nous voyageons partout dans la mer sans villes, sans possessions. Pourtant, nous ne sommes pas sans métiers. Phina est anthropologue, par exemple.

Henri

Mais comment est-ce que vous pouvez faire des études? Vous ne disposez ni de livres ni de bandes de magnétophone.

Viclo

Tous les marsouins du monde partagent une intelligence commune, une mémoire universelle qui n'oublie jamais rien. Nous sommes tous des membres d'un réseau d'informations qui parcourt la Terre. Si j'ai besoin de quelques détails, je n'ai qu'à former le désir dans mon esprit et la réponse sera là.

Michaux

Incroyable! Si c'est vrai . . .

Phina

Nous disons toujours la vérité. Nous ne sommes pas du tout comme vous, homme.

Michaux

Excusez, c'est que je pensais à haute voix. Est-ce que nous pourrions apprendre comment vous employez ce réseau mondial?

Babor

Jamais. Vous êtes Homme. Nous sommes Marsouin.

Nos deux chemins se sont séparés l'un de l'autre il y a trop longtemps.

Henri

Mais qui sait? Après des expériences . . .

Viclo

Jamais plus d'expériences. Nous vous quittons. Nous aurions pu devenir de vrais partenaires, deux races intelligentes travaillant ensemble. Mais non, ce ne sera plus possible.

Michaux

Mais où est-ce que vous irez? Comment vous échapperez-vous de l'Homme puisqu'il est partout?

Babor

Je ne saurais pas vous le dire. Il existe plus qu'un seul univers. Il y a des tas d'univers parallèles. Un de nos scientifiques a découvert le moyen de traverser la barrière qui nous sépare de ces autres univers. Nous avons déjà trouvé un monde tout pur, tout frais.

Catherine

C'est un autre monde?

Viclo

Non, c'est la Terre, mais c'est la Terre comme elle existe dans cet autre univers: sans hommes.

Michaux

Mais pensez-y un peu! Ce sera très dangereux là-bas. Ici, vous êtes vraiment chez vous.

Viclo

Non, il est trop tard. Pendant que nous parlions, les marsouins du monde entier se présentaient à des en-

droits de correspondance par lesquels ils passeront à l'autre univers. C'est presque fini. Nous voulions simplement vous dire adieu, hommes. C'est bien dommage. Nous vous laisserons seuls.
(*Les trois marsouins s'en vont en plongeant sous la mer.*)

Acte troisième

La Scène: Nous sommes encore dans le centre de communications, quelques semaines plus tard. Voilà Michaux, Henri, Lucien, Catherine et les deux techniciens. La mer ne se voit pas représentée, seulement la cabine. L'éclairage doit être toujours jaune et blanc.

Henri

(*à la radio*) Quoi? Vous en êtes sûr? Très bien. Fin de communication. (*à Michaux*) Ça y est. Les habitants de Cousteauville sont tous retournés sur la terre. La ville est inhabitée.

Michaux

Quelle catastrophe! Toutes les fermes sous-marines désertes! La ville, les industries marines inoccupées. L'Homme aura beaucoup perdu.

Lucien

Mais nous pourrons quand même travailler sous la mer. Ce n'est pas la fin de la conquête des mers!

Michaux

Si, c'en est la fin. Il nous coûterait trop cher sans l'aide des marsouins. L'Union ne dispose plus des fonds nécessaires pour l'exploration sous-marine.

Catherine

Mais que sont devenus les marsouins? On ne les trouve vraiment plus?

Henri

Il se peut bien qu'ils se trouvent quelque part dans la mer.

Michaux

Non, je le regrette beaucoup, mais nos avions, nos bateaux, nos sous-marins n'ont pu rien découvrir au sujet des marsouins. Et nous avons fait chercher partout.

Lucien

Dites donc! La mer est assez vaste!

Michaux

Pensez-vous! Mais nous avons aussi ces satellites en orbite qui surveillent la Terre. Ils nous indiquent même le déplacement des bancs de poissons, et ils ne nous montrent rien des marsouins. Non, je crois que c'est fini. Depuis des semaines personne ne voit plus de marsouins. Ils nous ont laissés seuls comme Viclo nous l'avait dit.

Henri

Seuls. Nous devrons combattre cette pollution mondiale nous-mêmes. Quelle chance nous a échappé!

Catherine

Mais qui sait? Un jour peut-être, nous les rencontrerons encore une fois dans un autre univers quand nous aussi, nous aurons appris à traverser la barrière.

FIN

Vérification

I. Vocabulaire

Prologue

un moyen	la méthode qu'on emploie
un marsouin	grand animal des mers qui a une intelligence impressionnante
sous-marin(e)	qui est sous la surface de la mer; un bateau qui plonge sous la mer
un être	tout ce qui possède l'existence
partager	avoir en commun
à travers	durant; pendant
la moitié	une des deux parties égales; 1/2
un siècle	100 ans
un cinéaste	quelqu'un qui fait des films
ait	forme du subjonctif d'*avoir*. *exemple*: Il a peur. Il est bon qu'il *ait* peur.
inestimable	qu'on ne peut pas assez estimer
un banc de poissons	un groupement de poissons
un ordinateur-traducteur	machine qui sait interpréter les mots d'une langue et les transférer en une autre langue
supporter	tolérer

Acte Premier

il suffit	c'est assez
un plongeur	quelqu'un qui descend dans la mer
inutile	qui ne sert à rien; qui n'est pas nécessaire
la vérité	qualité de ce qui est vrai
mentir	ne pas dire la vérité
la plupart	la majorité
soit	forme du subjonctif d'*être*. *exemple*: Il est possible. Je ne crois pas que ce *soit* possible.
une palme	ce qu'on met aux pieds quand on fait la plongée

Acte Deuxième

la côte	le bord de la mer
fassions	forme du subjonctif de *faire*. *exemple*: Nous faisons. Que voulez-vous que nous *fassions*?
un réseau	un système
parcourir	traverser; aller partout
mondial	qui parcourt le monde

Acte Troisième

inhabité	sans habitants

II. Travaux pratiques

A. Questionnaire sur le Prologue: Répondez à ces questions.

1. A qui parle le présentateur?
2. Selon le présentateur, avec qui l'Homme partage-t-il son monde?
3. Pourquoi est-ce important?
4. Quand le présentateur parle de la «vieille» France, à quelle époque pense-t-il?
5. Laquelle des deux espèces était la première à envoyer des messages?
6. Pourquoi les hommes n'ont-ils pas compris les messages des marsouins?
7. Comment est-ce qu'on a surmonté les difficultés de communications?
8. Qu'est-ce que vous savez du commandant Cousteau?
9. Qu'est-ce que c'est que Cousteauville?
10. Comment est-ce que les marsouins aident les hommes?
11. Qu'est-ce que les marsouins voulaient apprendre à l'Homme?

B. Questionnaire sur l'Acte Premier: Répondez maintenant à ces questions!

1. Où sont Lucien et Catherine? Pourquoi?
2. Comment est-ce qu'ils parlent l'un à autre?
3. Où est Henri Rochereau?
4. Pourquoi est-ce qu'on ne peut jamais mentir aux marsouins?
5. Qu'est-ce que Lucien trouve d'embêtant chez les marsouins?

6. Qu'cst-ce que les marsouins s'étaient arrêtés de faire depuis quelques jours?
7. Quelles impressions avez-vous des marsouins dès le moment où ils se présentent sur la scène?
8. Qu'est-ce que les marsouins désirent?
9. Et quelle est la réaction des hommes?
10. Quel compromis accepte-t-on enfin?

C. Et voilà un joli questionnaire sur l'Acte Deuxième!

1. Qui vient parler aux marsouins comme l'émissaire de l'Union Francophone?
2. Pourquoi est-ce que l'Union attache une grande importance à la cooperation des marsouins?
3. Qui est Viclo?
4. Comment est-ce que les marsouins préfèrent qu'on leur parle?
5. Quelles actions des hommes font mal aux marsouins?
6. Pourquoi les marsouins disent-ils que l'Homme devra passer de mauvaises années?
7. Comment est-ce que les marsouins peuvent transmettre leurs connaissances scientifiques?
8. Et l'Homme, peut-il se servir d'un même réseau lui aussi?
9. Qu'est-ce que les marsouins ont découvert à propos de notre univers?
10. Où est-ce que tous les marsouins se présentaient pendant que leurs trois émissaires parlaient aux hommes?

D. Et enfin, seulement deux questions sur l'Acte Troisième.

1. Pourquoi les habitants de Coustcauville ont-ils quitté la ville?

2. Que sont devenus les marsouins?

E. Vous connaissez déjà très bien l'imparfait, n'est-ce pas? (je parlais, tu finissais, il vendait, nous étions, vous aviez, ils cherchaient, etc.) Alors, si on veut offrir une suggestion, on peut commencer une phrase par *si*, et mettre le verbe à l'imparfait:

Nous allons au café.	(un fait)
Allons au café!	(une commande)
Si nous allions au café?	(une suggestion)

Eh bien, changez ces phrases en suggestions en employant *si* et l'imparfait:

1. Nous allons au cinéma.
2. Nous prenons de la soupe.
3. Je vous téléphone ce soir.
4. Elle vous montre la ville sous-marine.
5. Vous lui donnez rendez-vous.
6. On va prendre un café.
7. On se rencontre sous la mer.
8. Nous nous asseyons ici.
9. Je vous envoie sa lettre.
10. Ils peuvent nous expliquer la cause des difficultés.

Très bien! Maintenant, continuons notre lecture!

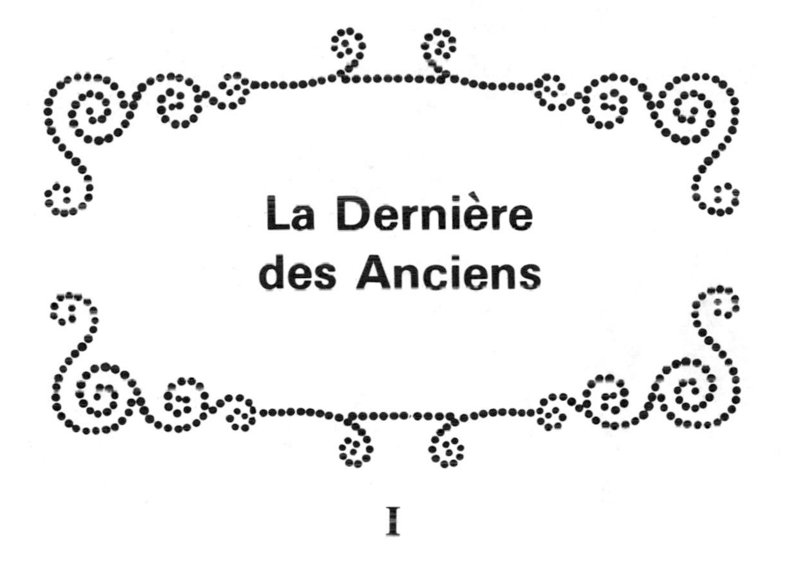

La Dernière des Anciens

I

Dans le folklore franco-canadien il y a bien des histoires étranges et mystérieuses. Ici, nous allons pénétrer le mystère de Marc de Montreuil. Ce gentilhomme a disparu au Canada entre 1632 et 1634 et son dossier porte toujours le mot *incomplet*. Donc, ce sera peut-être vous qui pourrez découvrir la vraie solution de ce mystère. Mais regardons un peu de l'histoire de la Nouvelle France:

C'était en 1497 que Jean Cabot est arrivé au Labrador, mais il était au service du roi d'Angleterre. Le premier explorateur au service du roi français qui est arrivé au Canada était Jean de Verrazano. Il est venu à l'embouchure du Saint-Laurent en 1524.

En 1534, Jacques Cartier est arrivé en Gaspésie où il a pris possession du territoire au nom du roi de France. De 1534 à 1541, Cartier a fait trois voyages au Canada. Il habitait chez les Indiens à l'endroit où se

trouve aujourd'hui la ville de Québec. Cependant, les Français n'ont pas établi tout de suite une grande colonie. En effet, plus de 50 années ont passé sans colonisation véritable.

C'était en 1608, à l'endroit du village indien de Stadaconé, que le célèbre explorateur Samuel de Champlain a fondé la ville de Québec: le premier établissement européen au Canada et la capitale éventuelle de la Nouvelle France. Le roi Henri IV avait enfin donné sa permission pour la colonisation plus rapide de ce pays énorme.

Beaucoup de ces Français qui habitaient la Nouvelle France (ou le Vieux Canada, comme nous le disons aujourd'hui) étaient des coureurs des bois, c'est-à-dire, des trappeurs. Il y avait aussi des fermiers et des soldats, aussi bien que des missionaires.

Le fils d'Henri IV, Louis XIII, a donné des domaines canadiens à des nobles français. En 1632, il a accordé 10 000 hectares au marquis de Montreuil. Ce domaine était au nord-est du lac Ganiche. Le marquis a accepté ces terres au nom de son fils aventureux, Marc de Montreuil, le baron de Bourclaves. Ensuite M. le baron y est allé avec son serviteur fidèle, André Cornichon.

Personne ne sait exactement ce qui est arrivé à Marc de Montreuil. Nous avons seulement quelques documents:

une lettre du marquis écrite en 1633,
quelques pages du journal de Marc de Montreuil,
la déposition d'André Cornichon et
le dossier de Jacques-Yves Frontdebœuf.

Regardons un peu ces pièces. Pour commencer, voilà la

lettre du père de Marc de Montreuil au premier gouverneur de la Nouvelle France:

Le 15 mars, 1633
M. le marquis de Montreuil envoie ses compliments à M. Samuel de Champlain, Gouverneur de la Nouvelle France.

Je vous écris, M. le Gouverneur, à la suggestion de son excellence, le cardinal de Richelieu, pour demander des renseignements sur mon fils disparu, Marc de Montreuil. Il est parti pour la Nouvelle France il y a deux ans avec l'intention de s'établir dans notre nouveau domaine au nord du lac Ganiche. J'ai reçu deux lettres l'année dernière où il me disait ce qu'il voulait entreprendre, mais enfin voilà toute une année que je ne reçois plus de nouvelles.

Ne croyez pas, Monsieur le Gouverneur, que je parle seulement à cause des soucis paternels. C'est que mon fils m'a raconté quelques épisodes bizarres qui lui étaient arrivés pendant son premier hiver là-bas.

Je vous serais bien reconnaissant, Monsieur, si vous pouviez annoncer à vos officiers que Marc de Montreuil a disparu quelque part. Peut-être que nous recevrons alors des nouvelles. De ma part, je vous dis que je m'engage à soutenir vos projets à la Cour. Il faut avoir une Nouvelle France bien forte.

En vous assurant de mes sentiments les plus amicaux et en me confiant en votre bonté, je reste

Votre Serviteur,
Jean-Pierre Grand'Chose
Marquis de Montreuil

Le marquis n'avait pas écrit en vain, car M. de

Champlain a envoyé le message de la lettre à tous les forts du Canada. Il savait que M. le marquis avait des amis à la Cour, donc il ne fallait pas manquer de satisfaire sa demande. La Nouvelle France avait toujours besoin de soldats, de colons, et de vivres!

Première partie: vérification

I. Vocabulaire

l'embouchure (*f.*)	entrée d'un fleuve dans la mer
accorder	donner
hectare (*m.*)	mesure de superficie; 10 000 hectares = presque 40 milles carrés
renseignements	informations
la Cour	où se rassemblaient les nobles près du roi sous l'Ancien Régime
un colon	quelqu'un qui vient coloniser un pays

II. Travaux pratiques

A. Répondez à ces questions faciles!

1. De quel folklore avons-nous un exemple ici?
2. Qui a disparu? Où?
3. Qui était le premier explorateur au service du roi français qui est arrivé au Canada? Quand est-il arrivé? Où est-il arrivé?
4. Pourquoi Jacques Cartier est-il célèbre?
5. Qui a fondé la ville de Québec? Quand?
6. Que faisaient les colons français au Canada? (Quels étaient leurs métiers?)

7. Quel roi a donné des domaines aux nobles? Pourquoi?
8. Qu'est-ce que le roi a accordé au marquis de Montreuil? Où se trouvait ce cadeau?
9. Pour qui M. le marquis a-t-il accepté ces terres?
10. Avec qui le baron de Bourclaves est-il allé au Canada?
11. Quelles pièces nous restent de l'affaire Montreuil?
12. A qui M. le marquis a-t-il écrit?
13. Pourquoi M. le marquis était-il inquiet?
14. Qu'est-ce que M. le marquis s'engageait à faire? Pourquoi?

B. Vous avez appris que le participe passé employé avec *avoir* doit s'accorder avec le complément direct qui précède le participe: «les lettres que j'ai écrit*es*.» Bon! Mais si le complément est *in*direct? Regardez la réponse à la question suivante:

Tu as écrit à Marie?	(écrire une lettre *à* quelqu'un)
Oui, je lui ai *écrit*.	(lui = *à* Marie)

Voilà. Si le complément est *in*direct, le participe passé ne change pas.

Eh bien, changez ces phrases au passé composé:

1. Je vous donne ces documents.
2. M. le marquis nous raconte ses aventures.
3. Les colons leur expliquent les mystères du pays.
4. Nous lui écrivons chaque semaine.
5. Le roi m'accorde un joli domaine.
6. Ils te donnent ce cadeau.

7. Vous m'expliquez l'affaire Montreuil.
8. Je leur raconte mes aventures.
9. Tu lui dis la vérité.
10. Nous leur offrons de l'argent.

C. Cherchez les mots justes pour chaque phrase:

1. Le roi a accordé ________ au marquis de Montreuil.
2. Le marquis s'engage à ________ les efforts du gouverneur.
3. ________ de l'affaire Montreuil porte le mot *incomplet*.
4. Jean de Verrazano était ________ au service du roi.
5. Je vous serais bien ________ si vous m'aidiez.
6. La Nouvelle France avait toujours ________ de soldats.
7. M. le marquis cherche des ________ sur son fils.
8. C'était ________ qui est arrivé en Gaspésie en 1534.
9. M. de Champlain était le premier ________ de la Nouvelle France.
10. Il a fondé la ville de Québec à l'endroit du village indien de ________.

D. Voilà des questions générales. Cherchez de bonnes réponses!

1. Pourquoi les Français étaient-ils si lents à coloniser la Nouvelle France?
2. Qu'est-ce que le roi espérait faire en accordant des domaines aux nobles?
3. Recherchez les différences entre les colonies anglaises (de la Nouvelle Angleterre, par exemple) et les colonies françaises.

4. Qu'est-ce qui est arrivé à la Nouvelle France? Et aujourd'hui?
5. Donnez des exemples de personnages célèbres du folklore de votre pays.

E. Cherchez des renseignements sur
   1. Jacques Cartier
   2. Samuel de Champlain
   3. quelques autres explorateurs français

II

Quand André Cornichon, le serviteur de Marc de Montreuil, est arrivé tout seul au fort La Défense, il a donné au commandant quelques pages du journal de son maître. C'était dans ce journal que Marc de Montreuil avait décrit son voyage à ses terres canadiennes et les événements bizarres qui lui sont arrivés. Lisons ces pages:

Le 6 mars, 1632: Aujourd'hui nous partons pour la Nouvelle France. Cornichon est avec moi. Je porte la concession du roi toujours sur moi. Il fait un peu froid, mais . . . (le reste de la page a été déchiré)

* * *

Le 17 mai, 1632: Nous sommes enfin arrivés au Canada! La ville de Québec est un peu primitive, mais que veut-on alors? C'est un nouveau monde! J'ai passé une demi-heure pas du tout intéressante chez M. de Champlain, le gouverneur. Il m'a beaucoup parlé de toutes ses difficultés avec la colonie, avec les Indiens, avec le roi, etc. J'ai envoyé Cornichon chercher tout ce qui sera nécessaire pour le voyage: des vivres, des habits, un canoë canadien et un bon guide.

* * *

Le 12 juin, 1632: Je n'ai pas pu écrire dans ce journal depuis notre arrivée à Québec. Il y avait tellement de préparatifs à faire! Maintenant, nous sommes bien à l'ouest de Québec. Nous avons quitté la ville il y a huit jours. Nous nous approchons enfin de notre domaine. Nos guides, Râme-tso-ni (Le Long Serpent) et Nictag-chi (Le Corbeau Qui Rit), sont excellents. Ce sont des Iroquois. Je m'étonne de la société indienne. Je dois dire à mon père que les Iroquois sont des membres de la Confédération des Cinq Nations! Il croit que ce ne sont que des sauvages.

* * *

Le 30 juin, 1632: Nous sommes arrivés à Canatta Péchiga, le village iroquois qui est tout près de notre domaine. Le Long Serpent dit qu'il faut encore une semaine de voyage et nous serons là, à nos terres. Au village j'ai rencontré le frère du Corbeau qui Rit, L'Ours Noir. Il va nous accompagner. De plus, on m'a présenté au *sagamor*, le sorcier de la tribu. Il était très vieux et Le Long Serpent m'a dit qu'il est le plus sage de tous les sorciers des Cinq Nations. Je me souviens bien de ses paroles (traduites par Le Long Serpent car je parle à peine l'iroquois):

— Je suis Anane-danquet, La Flèche Qui Parle. Je

suis le *sagamor* de la tribu des Bois Verts. Je vous dis: Bienvenue!

Il ne m'a plus rien dit ce jour-là, mais il m'a beaucoup regardé d'un œil fixe.

* * *

Le 3 juillet, 1632: Nous sommes toujours au village. C'est une fête des Iroquois et nos guides n'ont pas voulu quitter leurs frères. La Flèche Qui Parle était assis devant le feu ce soir et tout le monde était assis autour de lui. Il nous parlait des Anciens, un peuple divin (selon ce qu'il a dit), et il a décrit le Temple des Arbres, un endroit sacré. Un peu plus tard, je lui ai demandé comment il avait obtenu ces renseignements. Il m'a dit qu'il avait visité l'endroit quand il était jeune. Quant au Temple, il y avait là sept cercles d'arbres: un cercle d'énormes sapins, deux cercles d'érables, deux cercles de chênes et, tout près du centre, deux de bouleaux. Il ne savait pas ce qu'il y avait au centre, car les Anciens l'avaient arrêté au dernier cercle.

Quel spectacle! Je dois aller voir ce Temple. En effet, j'ai déjà demandé au *sagamor* de me faire une carte de cet endroit (s'il existe pour de vrai).

* * *

Le 12 juillet, 1632: Nous sommes arrivés à notre domaine. Comme la forêt est vaste! Nous avons tout de suite commencé à bâtir une cabane. J'ai écrit à mon père et j'ai envoyé L'Ours Noir au fort La Défense (qui se trouve pas loin de chez nous) avec cette lettre.

* * *

Le 17 juillet, 1632: Nous avons fini la cabane. Elle a trois pièces.

* * *

Le 9 septembre, 1632: Je ne sais que dire de ce qui m'est arrivé; ce sera bien difficile à décrire avec exactitude. Pendant que je me promenais dans la forêt (je cherchais de quoi tuer pour notre dîner), une dame est venue vers moi. Je ne l'ai pas vue arriver. Il n'y avait personne autour de moi et puis la voilà! Elle était tout habillée en vert et elle n'était pas du tout indienne. Sa robe était d'une mode étrangère à l'Europe et au Nouveau Monde. Comme elle était grande et belle! Elle avait le visage d'une déesse grecque et ses beaux yeux gris clairs me perçaient d'un regard fixe, pourtant sage. Voilà ses paroles:

— Je suis Chanadorienne (m'a-t-elle dit en iroquois), la Fille des Bois. Je veux savoir ce que vous faites dans ma forêt.

Mais, comme j'allais lui répondre, soudain elle n'était plus là.

* * *

Le 29 septembre: Je l'ai vue encore une fois, cette dame si belle! J'étais encore seul. A cette occasion, elle m'a parlé de son peuple, les Anciens, et des Enfants de la Forêt (les Iroquois). Elle sait que nous voulons nous établir ici, et ce fait ne lui plaît pas du tout.

* * *

Le 10 décembre, 1632: C'est que je la recherchais tous les jours. Enfin est-elle revenue ce matin. Je lui ai beaucoup parlé. Je l'aime. Elle m'a promis qu'elle reviendra le soir du 21 décembre; c'est une fête des Anciens. A cette fête elle va me présenter à ses parents. C'est que les Anciens veulent que nous nous déménagions, mais j'ai dit à Chanadorienne que le roi veut établir une nouvelle France ici et que nous sommes assez nombreux.

* * *

Le 21 décembre, 1632: C'est aujourd'hui la Fête du Soleil. Les Anciens sont venus chez nous! Ils ont apporté toute sorte de bonnes choses à manger. Mes camarades étaient tout à fait étonnés; ils ne m'avaient pas cru quand je leur avais parlé de la Fille des Bois. Les Anciens sont arrivés de je ne sais où sans faire aucun bruit. Nous étions tous devant la cabane et il n'y avait que la neige partout. Soudain, la forêt était illuminée d'une lumière dorée et voilà une bonne quinzaine de ces gens extraordinaires. Comme Chanadorienne, ils étaient grands et ils avaient le visage à la fois triste et sage. Mais quel malheur! Chanadorienne m'a dit que les Anciens vont déménager! Ils vont quitter ces bois! Je n'ai rien dit, mais je me suis décidé à les suivre. Je me rappelle toujours le Temple des Arbres. Les Anciens ont fixé la date de leur départ: le premier mars.

* * *

Le 4 février, 1633: Après la fête du 21 décembre, mes camarades n'ont pas cessé de discuter les Anciens. Enfin on s'est décidé à leur rendre visite. Aujourd'hui, malgré la neige et la glace, nous sommes partis pour le Temple des Arbres. Nos guides indiens apportent des cadeaux de leur village. Moi, j'ai quelques livres.

Alors, c'est tout ce qui nous reste du journal de Marc de Montreuil. On entend souvent parler dans le folklore de ce peuple mystérieux, les Anciens. Les Indiens avaient tous peur de ces gens et offraient souvent des cadeaux près de la vallée où se trouvait, selon la légende, le Temple des Arbres. En tout cas, pour savoir ce qui est enfin arrivé, il faut regarder la déposition d'André Cornichon, faite lors de son arrivée au fort La Défense.

Deuxième partie: vérification

I. Vocabulaire

un événement	ce qui arrive
une concession	un privilège obtenu du roi
un corbeau	oiseau tout noir
un ours	par exemple, l'ours grizzly
le *sagamor*	(mot indien) un homme très sage
la tribu	groupement de familles sous l'autorité d'un seul chef
la flèche	ce que l'archer lance par son arc
un sapin	arbre commun dans les montagnes qui est toujours vert
un érable	arbre qui nous donne un bon sirop
un chêne	arbre qui donne des glands d'où le proverbe: «de grands chênes viennent des petits glands»
un bouleau	arbre des pays froids à bois blanc
déménager	transporter tous les meubles, etc., d'un endroit à l'autre
doré	qui a la couleur d'or
malgré	par exemple: malgré la neige = sans faire attention à la neige
lors	quand; à l'occasion de

II. Travaux pratiques

A. Pour vous assurer que vous êtes toujours au courant, voilà quelques questions à répondre!

1. Qui a sauvé le journal de Marc de Montreuil?
2. Qu'est-ce que Marc de Montreuil a décrit dans ce journal?
3. Comment a-t-il décrit la ville de Québec?
4. A qui a-t-il rendu visite à Québec? De quoi a-t-on parlé?
5. Quels préparatifs a-t-on faits?
6. Qui étaient les guides? Comment étaient-ils?
7. Qu'est-ce que c'est que «Canatta Péchiga»?
8. Qu'est-ce que c'est qu'un *sagamor*? Comment était le *sagamor* de la tribu des Bois Verts?
9. De qui le *sagamor* a-t-il parlé?
10. Décrivez le Temple des Arbres.
11. Pourquoi le *sagamor* n'a-t-il pas pu voir ce qu'il y avait au centre du Temple des Arbres?
12. Qu'est-ce que Marc de Montreuil a demandé au *sagamor* de lui faire?
13. Arrivés au domaine, qu'est-ce que Marc de Montreuil et ses camarades ont commencé à bâtir?
14. Combien de temps leur a-t-il fallu pour terminer ce travail?
15. Décrivez l'incident du 9 septembre.
16. Pourquoi Chanadorienne n'était-elle pas contente de les voir dans la forêt?
17. Décrivez la Fête du Soleil.
18. Qu'est-ce que les Anciens ont annoncé à cette fête?
19. Qu'est-ce que Marc de Montreuil s'est décidé à faire?

20. Qu'est-ce qu'on apportait aux Anciens? Pourquoi?

B. Mettez cette phrase au passé composé:

Je vous écris tous les jours.

Oui! Très bien!

Je vous ai écrit tous les jours.

Et quelle sera la forme au négatif? Excellent!

Je *ne* vous ai *pas* écrit tous les jours.

Alors, mettez ces phrases négatives au passé composé:

1. Je ne vous explique pas le mystère.
2. Ils ne leur disent pas la raison.
3. Nous ne lui donnons jamais de cadeaux.
4. Vous ne leur dites rien.
5. Tu ne m'offres pas de bonbons. (offert)
6. Elle ne nous écrit pas.
7. Vous ne me le donnez pas.
8. Je ne leur offre jamais de vin.
9. Elles ne me disent jamais la vérité.
10. Nous ne lui obéissons pas.

C. Pour indiquer l'heure où quelque chose est arrivé, nous employons *il y a* et une expression de temps:

Il est arrivé au Canada il y a trois mois.
(Alors, son arrivée est fixée à trois mois avant le moment actuel.)

Compris? Eh bien, répondez à ces questions en employant *il y a*:

1. Quand est-ce que Marc de Montreuil a quitté la France?
2. Quand est-ce que les Indiens sont arrivés en Amérique?
3. Quand est-ce que M. Cornichon est venu au fort?
4. Quand est-ce que M. de Champlain est devenu gouverneur?
5. Quand est-ce qu'il a neigé la dernière fois?

D. Comme nous avons dit, *il y a* (à la fin d'une phrase avec une expression de temps) sert à *fixer* une date au passé. Quand nous voulons considérer la *durée* de temps, du passé au présent, nous employons *il y a* au commencement de la phrase, suivi d'une expression de temps et *que*:

Il y a cinq minutes *que* j'attends l'autobus.
(C'est-à-dire: J'ai commencé à attendre il y a cinq minutes et j'attends *toujours*.)

Eh bien, employez *il y a . . . que* dans vos réponses:

1. Combien de temps y a-t-il qu'il neige?
2. Combien de temps y a-t-il que vous attendez Chanadorienne?
3. Combien de temps y a-t-il que M. de Champlain est à Québec?
4. Combien de temps y a-t-il que les Anciens habitent la forêt?
5. Combien de temps y a-t-il que Marc de Montreuil est au Canada?

On peut aussi employer *depuis* au milieu de la phrase:

Il y a deux mois *que* je suis en France.

Je suis en France *depuis* deux mois.

Alors, répondez aux questions en employant *depuis*:

6. Depuis combien de temps étudiez-vous le français?
7. Depuis combien de temps est-il en France?
8. Depuis combien de temps ont-ils une voiture?
9. Depuis combien de temps avez-vous un chien?
10. Depuis combien de temps les Montreuil ont-ils leur domaine canadien?

E. Discussion

1. Que pensez-vous de Chanadorienne? Comment est-ce qu'elle peut arriver si silencieusement?
2. Que pensez-vous des légendes des Anciens?

III

DÉPOSITION D'ANDRÉ CORNICHON, BRETON, ANCIEN SERVITEUR DU BARON DE BOURCLAVES, MARC DE MONTREUIL

LE 30 MARS, 1634

(Frère Julien écrit ce que M. Cornichon raconte.)

Eh bien, nous avons quitté la cabane le 4 février, malgré la neige, la glace et le froid. Et quel froid!

M. de Montreuil s'était décidé à visiter cet endroit sacré du Temple des Arbres. Moi, je lui ai dit que c'était insensé, qu'il nous fallait rester au domaine jusqu'au printemps. Il a refusé de m'écouter. C'était comme s'il ne pouvait penser qu'à ces Anciens. Je crois que c'était à cause de la Fille de la Forêt, Chanadorienne. Je peux bien comprendre pourquoi il voulait la revoir, cette fille! C'était la plus belle des dames!

Le Long Serpent, Le Corbeau Qui Parle et L'Ours Noir y sont allés avec nous. Ils portaient des cadeaux pour les Anciens. La route était bien difficile, car peu de monde allait jamais là-bas. Nous avons mis des raquettes au bord d'un lac après quatre jours de voyage.

Enfin, après avoir traversé les montagnes, nous sommes arrivés à une très belle vallée où les feuilles des arbres étaient couleur d'or, même en hiver! L'Ours Noir nous a dit que c'était la Vallée des Bois d'Automne. Pendant toute l'année les feuilles étaient dorées. Alors, nous savions que nous nous approchions du domaine des Anciens. C'était vers le 25 février. Nous nous sommes alors dépêchés un peu plus, car M. de Montreuil nous disait sans cesse qu'il fallait y arriver avant le premier mars.

Nous sommes venus à un énorme pré en forme de cercle. Là se trouvait l'endroit du Temple des Arbres. Devant nous était le premier mur d'arbres, un mur vivant, un mur de hauts sapins, les seuls arbres verts de la vallée. Comme nous nous approchions des sapins, on entendait chanter des gens, mais on ne voyait personne. Les Iroquois ne voulaient pas nous accompagner plus loin. Ils se sont arrêtés aux sapins et ils ont posé leurs cadeaux par terre. Ils nous ont dit qu'ils allaient nous attendre là.

Moi, j'ai dit à M. de Montreuil que nous étions fous d'y entrer sans guides, mais il ne m'a pas entendu. Il regardait une femme qui sortait des bois. C'était Chanadorienne, la fille que nous avions rencontrée près de chez nous. Là-bas elle n'était qu'une belle fille, mais maintenant, elle semblait très grande, très noble et elle avait la peau dorée.

Chanadorienne s'est approchée de nous sans rien dire, sans faire aucun geste. De plus près, on pouvait voir qu'elle avait les yeux gris clairs comme des étoiles, de longs cheveux noirs et une forme angélique. Quand elle nous regardait, c'était comme si j'entendais chanter des anges. Et ses yeux semblaient nous percer jusqu'au cœur!

Les Iroquois, toujours derrière nous, étaient terrifiés. Ils nous répétaient que c'était une déesse que voilà. M. de Montreuil a ri, puis il a dit quelque chose à Chanadorienne. Elle lui a répondu en iroquois:

«— Je suis Chanadorienne, la Fille des Bois d'Automne. J'habite toujours dans cette forêt, mais j'y habite seule. Mes parents s'en sont allés. Je reste seule, la dernière des Anciens. Mais moi aussi, je vais partir. Venez avec moi, M. de Montreuil.»

M. de Montreuil n'a pas hésité. Il l'a suivie dans le Temple des Bois. Nous, les Iroquois et moi, nous sommes partis après eux. Je dois dire que M. de Montreuil semblait rempli d'amour pour cette belle créature.

Comme le *sagamor* l'avait dit, il y avait un cercle de sapins énormes, puis deux cercles d'érables, de chênes et de bouleaux. Nous nous promenions le long d'une avenue entre les arbres. J'ai entendu dire Chanadorienne que les bouleaux étaient les arbres préférés des Anciens.

Enfin nous avons pénétré au centre du Temple où

il y avait un autre pré circulaire. Et là, au milieu du pré, il y avait deux immenses colonnes de pierre qui supportaient une colonne horizontale pour former une énorme porte, un portail de pierre. Quand j'ai jeté un coup d'œil par cette porte, je n'ai pas pu voir l'autre côté du pré, j'ai vu plutôt une forêt tout verte près d'une mer brillante sous un soleil d'été!

«— Je suis la dernière des Anciens, disait Chanadorienne, et je quitte ma forêt, moi aussi. Pendant de longues années nos pères étaient heureux ici et nous y habitions en paix. Mais maintenant, d'autres gens arrivent, des étrangers, qui ne comprennent pas ce qu'ils ont trouvé. Au contraire des Indiens, ils vont détruire ce riche pays, ils vont découper nos arbres, creuser des trous dans nos terres, empoisonner nos bêtes.

«Alors, les arbres meurent. Les Bois Dorés deviennent des bois ordinaires. Notre pouvoir ne restera plus dans ces terres. Seuls les hommes habiteront ici.

«Iroquois, dites à vos gens que les Anciens sont partis! Nous sommes tous retournés à notre pays maternel. Adieu!»

Alors, j'ai compris que la porte s'ouvrait sur cet autre pays. Passer par cette porte, c'était aller chez les Anciens, loin du Canada, près de cette mer inconnue. M. de Montreuil, cependant, ne pouvait pas garder le silence. Il a crié à Chanadorienne:

«— Attendez, ô princesse! Ne me quittez pas! Je vous aime, princesse! Restez ici, avec moi. Je suis gentilhomme, mon père a de vastes domaines en France!»

«— Homme, qu'est-ce que vous pouvez donner aux Anciens? Comparer ma famille avec votre tribu, c'est comparer le soleil avec une petite étoile lointaine. Non, je pars. Mais attention, nous fermons cette porte pour toujours. Au moment où je rentre dans mon pays, courez vite! Ne restez pas près de ce cercle magique! Adieu!»

Sans nous regarder, elle a passé par la porte. J'ai pu la voir dans l'autre pays. Nous, nous avons commencé à courir! Mais quand j'ai regardé derrière moi, j'ai vu que M. de Montreuil était toujours près de la porte. Comme je le regardais, il entrait. Puis, BOUM! Il y a eu une grande explosion et j'étais par terre. Après un peu, je me suis levé et je suis allé à l'endroit où se trouvait la porte. Il y avait un cratère qui se remplissait lentement de l'eau. C'était tout.

Je ne sais pas exactement ce qui est arrivé à M. de Montreuil. Peut-être qu'il est entré chez les Anciens. J'espère qu'il est heureux là-bas, mais je crois que les Anciens sont peut-être un peu trop nobles pour nous autres hommes.

* * *

Et voilà l'histoire d'André Cornichon. Nous avons enfin un extrait du dossier que le commandant du fort a envoyé à M. de Champlain:

FORT LA DÉFENSE

LE 4 AVRIL, 1634

Jacques-Yves Frontdebœuf, Commandant, envoie ses compliments à M. Samuel de Champlain, Gouverneur Général.

Je vous envoie ce dossier, M. le Gouverneur, car c'est un cas assez bizarre. Vous allez trouver dedans des pages d'un journal et la déposition d'un certain André Cornichon. Nous ne comprenons pas tout ce qu'il a dit, mais le bonhomme était bien sincère et peut-être un peu fou. Malheureusement, il est sorti du fort un soir et mes soldats n'ont pas pu le retrouver.

A propos des soldats, nous avons toujours besoin de renforcements, M. le Gouverneur, si ce sera possible.

* * *

Évidemment, M. de Champlain a envoyé ces documents au marquis de Montreuil, car on en a toujours quelques pages en France. Mais jusqu'aujourd'hui, on ne sait pas exactement ce qui est arrivé à Marc de Montreuil. Qu'en pensez-vous?

Troisième partie: vérification

I. Vocabulaire

insensé	contraire au bon sens; fou
une raquette	ce qu'on met aux pieds pour marcher sur la neige
un pré	petite prairie
percer	faire un trou
une déesse	divinité féminine
un portail	entrée principale; porte monumentale
plutôt	de préférence
le pouvoir	l'autorité; l'influence; faculté de faire
lointain	qui se trouve à une grande distance

II. Travaux pratiques

A. Et voilà un dernier questionnaire!

1. Pourquoi le commandant Frontdebœuf a-t-il envoyé le dossier au Gouverneur Général? Frontdebœuf, que pense-t-il d'André Cornichon?

2. Quel temps faisait-il le jour du départ pour le Temple des Arbres?
3. Pourquoi Cornichon disait-il que c'était insensé d'y aller en hiver?
4. Qui y est allé avec Marc de Montreuil?
5. Pourquoi a-t-on mis des raquettes?
6. Décrivez la Vallée des Bois d'Automne. Comment y étaient les arbres?
7. Pourquoi leur fallait-il arriver au Temple avant le premier mars?
8. Qui est sorti des Bois lors de leur arrivée?
9. Décrivez cette personne.
10. Où étaient les parents de Chanadorienne?
11. Qu'est-ce qu'il y avait au centre du Temple?
12. En passant par la porte, où est-ce qu'on entrerait?
13. Pourquoi les Anciens étaient-ils partis?
14. Où était cet autre pays?
15. Qu'est-ce que Marc de Montreuil a dit à Chanadorienne?
16. Pourquoi est-ce qu'elle a refusé de rester là avec Marc de Montreuil?
17. Qu'est-ce qui est arrivé après le départ de Chanadorienne?
18. Qu'est-ce qu'il y avait à l'endroit où était la porte?
19. Qu'est-ce qui est arrivé à Cornichon?
20. Qu'est-ce qui est arrivé à Marc de Montreuil?

B. Regardez ces phrases:

Vous vous trompez, Monsieur!

Vous vous êtes trompé, Monsieur!

Alors, mettez les phrases suivantes au passé composé. Attention à l'accord du participe (trompé, trompée, etc.)!

1. Vous vous regardez, Monsieur?
2. Je me trompe! (2 formes)
3. Elles se couchent tôt.
4. Nous nous lavons. (2 formes)
5. Il se trompe.

C. Et maintenant, regardez ces deux phrases:

Vous ne vous trompez pas, Monsieur!

Vous ne vous êtes pas trompé, Monsieur!

Alors, mettez ces phrases au passé composé:

1. Vous ne vous lavez pas. (4 formes)
2. Elles ne se trompent pas.
3. Nous ne nous promenons pas. (2 formes)
4. Il ne se regarde pas.
5. Je ne me trompe pas. (2 formes)

D. Regardez l'exemple:

Les oiseaux *chantent*.

J'entends chanter les oiseaux.

Compris? Employez *j'entends* et *l'infinitif*:

1. Un loup hurle.
2. Les Indiens parlent.
3. Chanadorienne chante.
4. Les gens applaudissent.
5. Mon père vient.

E. Au passé, nous avons:

J'ai entendu chanter les oiseaux.

Alors, mettez *j'ai entendu* et *l'infinitif*:

1. Un loup hurle.
2. Les arbres tombent.
3. Chanadorienne parle.
4. Les Iroquois chantent.
5. Mon père tousse.

F. Et si vous racontez ce qu'une autre personne a dit, regardez la forme:

(L'autre personne parle:) Jean est malade.

(Vous dites:) *J'ai entendu dire que* Jean est malade.

Alors, rapportez les nouvelles suivantes à vos amis:

1. Les Iroquois ont quitté leur village.
2. Les Anciens sont allés à un autre pays.
3. Marc de Montreuil a disparu dans les bois.
4. Il va neiger beaucoup cet hiver.
5. Nous aurons beaucoup de touristes cet été.

G. Discussion

1. Quelles sont vos impressions des Anciens? Où se trouvait leur pays?
2. Et que pensez-vous de cette grande porte de pierre? Qu'est-ce que c'était?
3. Connaissez-vous d'autres histoires d'un peuple très sage, très avancé?

La Terreur au Mont-Saint-Michel

I. Dans la crypte des abbés

L'église ancienne avait l'air déserte, abandonnée. C'était tout à fait naturel, car il était presque minuit et tous les gens du village s'étaient renfermés dans leurs maisons. Le gardien du site historique faisait ses tournées à l'autre côté du cloître sombre.

Tout doucement, Frédéric Dupuy s'est glissé derrière l'autel où se trouvait l'escalier en pierre qui menait au sous-sol. Là-bas, il y avait les tombeaux des anciens abbés du monastère. Là-bas, il y avait aussi les excavations récentes des archéologues du Centre National de Recherches Scientifiques.

Dupuy tenait à la main sa lampe de poche dont la lumière jaune perçait à peine l'obscurité presque totale de l'église. Il se parlait à voix basse d'une manière agitée.

— Ce que j'ai de peine avec ces imbéciles! Personne

ne veut jamais me croire. Je leur montrerai que j'ai raison, moi. Eux, ils ne font que regarder autour du tombeau les yeux fermés. Je les leur ouvrirai! J'aurai bientôt mes preuves!

Pendant qu'il murmurait ainsi, Dupuy continuait sa descente au sous-sol. Arrivé en bas, il est entré dans la pièce principale, une pièce déjà bien connue par les touristes depuis le XVe siècle. Il passait entre les tombeaux en silence. Dans le mur duquel il s'approchait, il y avait une assez grande ouverture. C'était là qu'on avait commencé les excavations en suivant les détails d'un vieux plan de l'abbaye. D'abord, c'était Dupuy qui avait dirigé les travaux, mais, petit à petit, ses collègues s'étaient mis à douter de sa lucidité. On disait alors que Dupuy était allé consulter une «sorcière» bretonne d'une notoriété sinistre et, somme toute, qu'il ne se comportait plus en scientifique.

Lui, il avait insisté sur son droit de faire ce qu'il voulait en tant que directeur de l'excavation. On avait porté plainte contre Dupuy à Paris. Après une enquête aussi courte que pénible, on avait nommé un autre directeur, ou plutôt une directrice, car c'était Mireille Danton dont la réputation est aujourd'hui bien répandue qui devait se charger de l'excavation. Elle avait naturellement défendu au professeur Dupuy de redescendre au sous-sol, de continuer ses recherches dans les mystères anciens de l'abbaye. Pourtant, le voilà sur le point de terminer définitivement ses études!

— Je lui montrerai que je ne suis pas fou! Elle se croit si intelligente! Elle regrettera son opposition! s'est-il dit en franchissant le seuil de l'excavation.

Cette deuxième pièce dans laquelle il entrait ainsi se montrait beaucoup plus petite que l'antérieure. Il y avait des peintures bizarres sur les murs, des peintures même effrayantes qui montraient des événements dont, disait-on, l'Homme aurait dû rester ignorant. Ici, on voyait l'archange Saint Michel descendant du ciel entouré de flammes, son épée de lumière à la main. Là, il y avait quelque monstre hideux qui sortait d'une ouverture dans le mont. L'ange et le démon combattaient sur le mur à gauche. A droite, l'ange était en train de mettre le démon dans une sorte de sarcophage en haut du mont. Tout autour, des paysans le regardaient faire, les visages tout pleins d'horreur. En bas de cette dernière peinture, il y avait le texte mystérieux dont l'interprétation a causé tant de débats. La langue de ce texte était inconnue. Il y avait pourtant quelques spécialistes, dont un à Paris et l'autre à Philadelphie, aux États-Unis, qui prétendaient comprendre une partie du message.

— J'aurais peut-être dû inviter Desmoulins. Lui, il aurait bien pu m'aider. Quant à ces autres! Imbéciles! Ils ne veulent pas savoir ce qu'il y a dans ce tombeau. Ils désirent créer un nouveau monument historique et c'est tout!

Comme il parlait, Dupuy se dirigeait vers le centre de la pièce où se trouvait un énorme tombeau tout en pierre sculptée. Le couvercle du tombeau était gravé de symboles mystérieux et il y avait une malédiction en latin sur ses quatre bords qui défendait à tout le monde d'ouvrir ce tombeau, sous la peine d'une mort terrible.

Petit à petit, très lentement car le couvercle était bien lourd, Dupuy s'efforçait à ouvrir le tombeau. Le grincement de pierre contre pierre remplissait la pièce. Soudain, il y avait un grondement torturé, puis le couvercle est tombé à côté. Dupuy devait se reposer pendant quelques instants avant de regarder dans le tombeau.

— Mais, il n'y a rien dedans! Le tombeau est vide! Ce n'est pas possible. Ah! Qu'est-ce que c'est?

Il avait dirigé la lumière de sa lampe vers le fond du tombeau. Là-bas, il pouvait voir à peine une fente très fine qui courait le long des côtés et traçait un grand rectangle dans le fond du tombeau. Au milieu du rectangle, il y avait des symboles magiques qui devaient indiquer la manière d'ouvrir cette porte inattendue.

— C'est ça! Dupuy a-t-il crié en triomphe. Il doit y avoir une autre pièce au-dessous de celle-ci!

Alors, il s'est mis dans le tombeau et, en suivant les indications, il a enfin réussi à ouvrir le plancher de pierre. Ce n'était vraiment qu'une partie du plancher, mais l'ouverture en était assez grande.

A travers l'ouverture, Dupuy pouvait à peine distinguer un petit escalier tout en pierre qui menait en bas. Sans réfléchir, il est descendu dans cette crypte terrible cachée sous l'église. Quand il est arrivé en bas de l'escalier, Dupuy se trouvait dans une pièce moins grande que celle d'en haut, mais beaucoup plus menaçante. Il respirait avec difficulté car l'air n'y était pas frais et tout sentait le renfermé. Au milieu de la crypte se dressait un énorme tombeau taillé, apparément, d'un seul morceau de pierre noire.

— *Malheur à celui qui ouvrira ce tombeau du mal!* lisait Dupuy à haute voix en traduisant les mots latins inscrits sur le couvercle. *La Terre ne pourra résister à la Terreur que ce tombeau renferme pour la protection des hommes. Quand elle sortira de nouveau, ce sera la fin de l'Homme.*

Sans faire attention à cet avertissement ancien,

Dupuy s'est mis à forcer le couvercle avec le pic qu'il avait apporté d'en haut.

Comme il arrivait à bouger un peu la lourde dalle de pierre, Dupuy croyait entendre les gémissements d'une voix gigantesque. Il redoublait ses efforts et après un peu l'ouverture était assez grande pour lui permettre de regarder directement dedans. Dupuy a pris sa lampe. Il y avait encore des gémissements terribles, cette fois plus forts, plus proches.

Dupuy était debout au bord du tombeau, la lampe à la main. Il hésitait. Une peur froide l'avait envahi. Il devait faire tout son possible afin de pouvoir regarder à l'intérieur où il ne voyait . . . rien. Où plutôt, il y avait quelque chose là-dedans au-delà de la vue des hommes, une vision étrangère à l'univers que nous habitons. Les couleurs y étaient confuses, innommables; les formes, horribles, odieuses. Dupuy reculait en horreur devant cette vision d'un univers hostile aux hommes, s'est retourné pour remonter l'escalier. Pourtant, un mouvement derrière lui l'arrêtait. Il ne pouvait absolument pas se retourner pour regarder la Terreur qui venait le prendre d'un autre monde. D'une force surhumaine, Dupuy a réussi à grimper les marches de l'escalier, est sorti du tombeau, et s'est jeté dans la Crypte des Abbés sous les symboles d'un pouvoir incapable d'arrêter ce qui le poursuivait.

Ses cris perçants et terribles ont réveillé tous les gens du village.

La Terreur a été déchaînée au Mont-Saint-Michel.

Travaux sérieux de la première partie

I. Vocabulaire

Mont-Saint-Michel	village et abbaye célèbres qui se trouvent sur une petite île dans la baie du Mont-Saint-Michel, près de la côte normande; l'église de l'abbaye date du XIIe siècle
le cloître	partie d'un monastère formée de galeries couvertes entourant une cour ou un jardin
se glisser	entrer en secret, furtivement
un abbé	supérieur d'une abbaye (d'un monastère)
dont	de qui (de quoi, duquel, etc.)
une enquête	une investigation
pénible	qui donne de la peine
répandu	porté au loin; bien connu
franchir	passer; traverser
effrayant	qui est horrible; qui inspire la peur
hideux	horrible à voir; très laid
sarcophage	cercueil de pierre
inattendu	qui surprend; qui donne une surprise
renfermé	mauvaise odeur qu'exhale une pièce longtemps fermée
reculer	faire un pas en arrière

II. Exercices fantastiques

A. Est-ce que vous avez envie de visiter le Mont-Saint-Michel? Non? Vous préférez attendre peut-être jusqu'au moment où la police découvrira ce qui est arrivé à Dupuy? Alors, vous êtes bien prudent! Et pendant que nous attendons, essayons un peu de répondre à ces questions:

1. Situez le Mont-Saint-Michel.
2. Où se trouve l'abbaye? Le village?
3. Quelle heure était-il quand Dupuy commençait sa descente malheureuse?
4. Donnez quelques détails sur Frédéric Dupuy.
5. Pourquoi est-ce qu'il n'était plus directeur de l'excavation?
6. Où allait-il ce soir-là? Pourquoi?
7. Décrivez la deuxième pièce.
8. Qui prétendait comprendre un peu le texte mystérieux?
9. Qu'est-ce que Dupuy a trouvé dans le premier sarcophage?
10. Pourtant, qu'a-t-il remarqué au fond?
11. Qu'est-ce qu'il y avait au-dessous de ce premier sarcophage?
12. Décrivez cette dernière pièce.
13. Qu'est-ce que ce dernier sarcophage renfermait?
14. Qu'est-ce que Dupuy entendait comme il essayait d'ouvrir le couvercle?
15. D'où est venue la Terreur? Qu'est-ce qui est arrivé à Dupuy?

B. La police aura peut-être de sérieuses difficultés en cherchant une solution à ce mystère. Faisons donc encore un exercice. Essayez de trouver le mot juste.

Il y a une __________ (1) ancienne au sommet du Mont-Saint-Michel. Derrière __________ (2), un escalier de __________ (3) mène au __________ (4). Là-bas, il y a la __________ (5) des Abbés où se trouvent les __________ (6) des anciens abbés. A travers l'ouverture d'une __________ (7) récente, il y a un __________ (8) mystérieux. En ouvrant la porte qui se trouve au __________ (9) du tombeau, on peut descendre à une pièce très __________ (10).

C. Dans le texte, vous avez lu cette phrase:

> Dupuy tenait à la main sa lampe de poche *dont* la lumière perçait à peine l'obscurité . . .

Le mot *dont* peut se substituer à *de qui*, *duquel*, *de quoi*, etc. En voilà encore quelques exemples:

> Le garçon *de qui* je vous ai parlé s'appelle Henri.
> Le garçon *dont* je vous ai parlé s'appelle Henri.
>
> Les voitures *desquelles* il nous a donné les clés sont là.
> Les voitures *dont* il nous a donné les clés sont là.

Alors, dans chaque phrase, remplacez le mot *dont* par une expression de la forme *duquel*, *de qui*, *de laquelle*, etc.

1. L'adresse *dont* il a besoin est sur mon bureau.
2. Les filles *dont* nous connaissons la mère sont suisses.
3. Je cherche le cahier *dont* Dupuy nous a parlé.
4. Où est le monstre *dont* j'ai besoin?
5. Les pierres *dont* le mur est construit sont grises.

D. *Dont* peut aussi rattacher deux phrases:

Henri habite à Paris. Je vous ai parlé de cet homme.
Henri, l'homme dont je vous ai parlé, habite à Paris.

Alors, de chaque groupe de deux phrases, faites une seule:

1. Mes collègues sont à Paris. Je vous ai déjà parlé de ces collègues.
2. Où sont les plans de l'abbaye? J'ai besoin de ces plans.
3. Les plans sont bien vieux. Il a pris des photos de ces plans.
4. Voilà la maison. Dupuy nous a donné l'adresse de cette maison.
5. Le sarcophage est mystérieux. Dupuy avait toujours peur de ce sarcophage.

E. Vous connaissez bien les mots *commencer*, *avancer*, *percer* et peut-être d'autres verbes qui se terminent en *-cer*. Vous savez sans doute aussi que la lettre *c* a deux sons: *k* et *s* (*commencer* = «*k*ommen*s*er»). Alors, quand *c* = *s* (avan*c*er) et précède *a*, *o*, *u*, on met une cédille (¸) sous *c*: il commen*ç*ait, nous commen*ç*ons. Eh bien, donnez la forme *nous* du présent pour chaque verbe:

1. je commence
2. elles avancent
3. tu perces
4. vous recommencez
5. il force la porte

Maintenant, donnez les formes *je*, *il*, *vous* et *ils* de l'imparfait:

6. commencer
7. avancer
8. placer
9. forcer
10. percer

F. C'est presque la même chose où il est question des verbes comme *manger*, *diriger*, *voyager*, *nager*, etc. Comme vous savez, la lettre *g* a deux sons: *g* et *j* (*g*arage = «gara*j*e»). Alors, quand *g* = *j* (changer) et précède *a*, *o*, *u*, on met la lettre *e* après *g*: je mang*e*ais, nous mang*e*ons, etc. Bon! Donnez la forme *nous* du présent pour chaque verbe:

1. je nage
2. elles voyagent
3. vous dirigez
4. tu manges
5. il juge

Maintenant, donnez les formes *je*, *il*, *vous* et *ils* de l'imparfait:

6. juger
7. voyager
8. diriger
9. manger
10. nager

G. La police a trouvé quelques indications mystérieuses au site du crime! Nous retournerons à l'histoire après cet exercice assez important.

Regardez ces deux phrases:

Il chantait quand il est entré.
Il est entré *en chantant*.

Après la préposition *en*, nous employons la forme du verbe qui s'appelle le *participe présent*. Il nous donne souvent l'idée de *comment* une action est produite. *Comment est-ce qu'il est entré? En chantant.*

En voici un autre exemple:

Puisque tu lui parlais de cette façon, tu l'as offensé.
En lui parlant de cette façon, tu l'as offensé.

Compris? Bon!

Pour former le participe présent, cherchez la forme *nous* du présent, découpez *-ons*, ajoutez *-ant*:

chanter	nous chant~~ons~~	chant*ant*
finir	nous finiss~~ons~~	finiss*ant*
répondre	nous répond~~ons~~	répond*ant*
écrire	nous écriv~~ons~~	écriv*ant*
voir	nous voy~~ons~~	voy*ant*

Il y a pourtant trois exceptions à cette règle:

être	*étant*
avoir	*ayant*
savoir	*sachant*

Alors, changez chacune des phrases suivantes en remplaçant la partie qui commence avec une conjonction par une expression qui commence avec *en* + *participe présent*:

1. Elles parlaient quand elles sont entrées.
2. Nous applaudissions quand nous nous sommes levés.
3. On suivait des plans pendant qu'on travaillait à l'abbaye.
4. Vous cherchiez des preuves quand vous êtes entrée dans la Crypte.
5. Nous avancions vers l'abbaye pendant que nous regardions tout autour de nous.
6. Comme elle examinait le carnet, elle cherchait son adresse.

7. La Terreur gémissait quand elle est sortie du sarcophage.
8. Dupuy s'arrêtait quand il a entendu un bruit terrible derrière lui.
9. Il voyait venir le monstre comme il essayait de s'échapper.
10. J'ai reçu la réponse correcte puisque je lui ai posé la question directement.

Eh bien, c'est la fin des exercices! Retournons à l'histoire pour voir ce que la police fait.

II. Vers la France

— Monsieur Desmoulins?

— Oui, c'est moi, a répondu l'homme âgé de trente-cinq ans environ. Il devait s'efforcer un peu pour parler français. Voici dix ans qu'il habitait à Philadelphie, et il avait presque perdu l'habitude de s'exprimer dans sa langue maternelle.

— Vous êtes bien Robert Desmoulins, professeur de l'Université?

— Oui, c'est toujours moi, Monsieur. Desmoulins commençait à s'ennuyer un peu de ce type bizarre. Ils étaient tous les deux à la porte de l'appartement de Desmoulins, en pleine ville, près de l'Université. Comme il y avait toujours des agents de sécurité au rez-de-chaussée de l'immeuble, Desmoulins supposait que cet homme devant lui leur avait expliqué les raisons de sa visite.

— Alors, permettez-moi de me présenter, Monsieur le professeur. Je suis l'inspecteur Lambert.

— Inspecteur de quoi? Vous n'êtes certainement pas de la police philadelphienne.

— Mais non, naturellement. Je suis de la Sûreté. En effet, je viens d'arriver de France.

L'inspecteur était un de ces petits hommes à l'air vigoureux dont les forces semblent toujours au-delà du possible. Il portait un pardessus beige assez vieux et il était sans chapeau. Ses gestes rapides et son visage maigre derrière une monture de lunettes argentée faisaient penser Desmoulins à Jacques Cousteau.

— S'il vous plaît, Monsieur, ma tâche est un peu . . . disons délicate. Est-ce que je pourrais vous parler à l'intérieur?

Alors, qu'est-ce que Desmoulins allait faire? Voilà, la Belle France, Mère des Arts, qu'il avait presque complètement oubliée pendant ces dix dernières années, la voilà qui lui envoyait un de ses fidèles serviteurs. Il l'a invité à entrer dans la salle de séjour. Lambert s'est assis en face de Desmoulins dans un fauteuil bleu près de la fenêtre qui donnait sur une étroite rue sombre.

— Un café, Inspecteur?

— Oui, avec plaisir. Vous êtes bien gentil.

Desmoulins est allé dans la cuisinette où il y avait toujours du café dans la cafétière, puis il est revenu presque tout de suite, les deux tasses à la main.

— Alors, pourquoi la Sûreté vient-elle me rendre visite?

— Je devrai vous parler franchement, Monsieur.

— Certainement. Euh, il y a du sucre dans le sucrier

à votre gauche. La crème est juste à côté. Voyons, je vous préviens que j'ai une classe à faire dans une heure.

— Alors, les nouvelles que je vous apporte, les voilà: La Sûreté a besoin de vous et de vos connaissances . . . euh . . . spécialisées.

— Mes connaissances de sorcellerie?

— Oui, c'est ça exactement, lui a-t-il admis d'un ton embarrassé. Moi, vous savez, je n'en sais rien, mais . . .

— Ça va sans dire. Continuez.

— Voyons, connaissez-vous Frédéric Dupuy?

— Docteur Dupuy, l'archéologue?

— Lui-même.

— Oui, je le connais. Ou mieux, j'ai fait sa connaissance quelques mois avant mon départ pour l'Amérique. J'ai fait des recherches sous sa direction dans une excavation romaine en Provence. Il est aussi un des vrais experts en langues mortes du monde.

— Il *était* un des grands experts. Il est mort il y a deux semaines en Normandie.

— Mort? Comment?

— Nous ne savons pas encore. On a découvert son cadavre déchiré sur le seuil de la Crypte des Abbés au Mont-Saint-Michel, on l'a rapporté à la police, il y avait du mystère là-dessus, et puis me voilà.

— Je n'y comprends plus rien. Qu'est-ce que j'ai à faire avec la mort du professeur Dupuy? Comment puis-je vous aider?

— C'est qu'il avait découvert une crypte inconnue audessous de la Crypte des Abbés. On a trouvé un sarcophage un peu ouvert sur lequel étaient gravés des symboles indéchiffrables. Ses collègues qui avaient travaillé à l'excavation avec lui nous ont raconté ses actions bizarres et sa conviction irrationnelle qu'il était sur le point de découvrir la vérité derrière les légendes anciennes du Mont-Saint-Michel.

– En quoi est-ce que cela me concerne?

– On avait découvert parmi les papiers de Dupuy le texte d'un télégramme qu'il avait l'intention de vous envoyer. Et puis, vous vous connaissez aux textes magiques, n'est-ce pas?

– Oui, bien sûr. Mais je ne vais absolument pas essayer de ressusciter le pauvre Dupuy!

– Oh, non! lui a répondu Lambert en riant. Il n'en est pas question! Pardonnez-moi, Monsieur. L'affaire est assez grave; je ne voulais pas rire.

– Je vous en prie. Continuez, s'il vous plaît.

– Eh bien, c'est simplement que . . . euh . . . que la mort de Dupuy n'a pas mis fin à des événements bizarres, voire, terribles. Nous croyons que Dupuy savait bien des choses là-dessus, mais on ne peut guère le questionner maintenant. De plus, depuis sa découverte et quelques visites de nos agents, personne n'a pu redescendre à la crypte mystérieuse. Quelque force défend le passage à tout le monde.

– Cela ne me surprend pas du tout. Que voulez-vous que je fasse?

– Revenez en France avec moi. Rendez visite au site et vérifiez la traduction de l'inscription qu'on a découverte dans la crypte.

– C'est tout? Mon cher inspecteur! Je suis en train de donner trois cours avancés à l'Université et je dois assister à une réunion professionnelle très sérieuse dans quelques semaines! Je ne pourrais jamais quitter la ville dans un si bref délai.

– Vous n'avez pas à vous inquiéter, Monsieur. Si

vous acceptiez de nous aider, le Gouvernement lui-même ferait vos excuses. A vrai dire, l'affaire devient de plus en plus sérieuse; on doit défendre aux touristes de visiter le Mont-Saint-Michel. Les Montois eux-mêmes insistent pour qu'on vienne à leur secours. De plus, un de vos anciens collègues, Philippe Bérenger nous a dit que ce serait seulement vous qui pourriez l'aider à traduire ce texte essentiel à la solution du mystère.

— Eh bien, qu'est-ce que je peux ajouter? Mon collègue a peut-être raison. Aussi, cette affaire curieuse m'intéresse. Vous avez sans doute d'autres renseignements?

— Dans cette serviette.

— Très bien. Laissez-moi étudier un peu cette affaire. Quant à vous, Inspecteur, allez préparer le voyage!

— C'est tout préparé, Monsieur. Nous partirons demain.

Le lendemain, après l'heure du dîner, l'inspecteur Lambert est venu chercher Desmoulins. Ils sont vite descendus au rez-de-chaussée, ont passé le portier sans rien dire et sont montés dans une voiture verte que Lambert avait louée. Desmoulins était un peu surpris de voir qu'il y avait un chauffeur—l'affaire devait rester secrète, selon l'inspecteur.

— Marcel est agent du C.D.E.C.E., lui a expliqué Lambert.

«Drôle d'idée, ça!» pensait Desmoulins. «Les espions français aux U.S.A.! On n'avait qu'à lire les journaux américains pour tout apprendre de ce pays si ouvert, si bavard.»

La voiture a démarré, s'est dirigée vers la rivière Schuylkill et est ensuite descendue à l'autoroute qui allongeait la rive droite et qui devait les amener à l'Aéroport International après quelques minutes de trajet.

Ils ont pris le vol Air France numéro 467, Lambert et Desmoulins. L'hôtesse leur a indiqué leurs places de première classe, puis elle a tiré le rideau qui les séparait de la cabine touristique. Évidemment, ils seraient les seuls passagers en première classe.

– C'est à cause de nous, Inspecteur, qu'il n'y a plus de passagers?

– Naturellement. Nous voulons tout garder en secret jusqu'à ce que nous sachions quelque chose de définitif.

Et voilà, tout simplement, comment Desmoulins a été engagé à combattre une terreur inconnue, une terreur plus horrible que toute autre qu'il avait rencontrée pendant ses études des sorcelleries secrètes et mystérieuses. Ça va sans dire qu'il avait mis dans la valise brune qu'il gardait toujours à côté de lui les textes et les talismans les plus puissants qu'il possédait.

Le vol était sans incident. L'avion s'est approché de la France en descendant du ciel pourpre vers la beauté du paysage français. Quand ils étaient tout près de Paris, Desmoulins a remarqué quelque chose qui lui semblait étrange.

– Dites, Inspecteur, est-ce que nous allons atterrir à Orly?

– Non, Monsieur. Ce vol descend à Roissy, à l'aéroport Charles De Gaulle.

– Ah, oui, j'avais oublié. Même en France tout se change!

L'avion s'est précipité vers le nord en survolant la capitale. La descente à Charles De Gaulle était douce et les voilà en France.

Travaux sérieux de la deuxième partie

I. Vocabulaire

la Sûreté	direction générale du ministère de l'Intérieur chargée de la police
un pardessus	un manteau
argenté	couleur d'argent
franchement	sincèrement; sans hésitation
ou mieux	ou plutôt
puis-je	est-ce que je peux (pouvoir)
indéchiffrable	ce qu'on ne peut pas lire
ressusciter	faire retourner à la vie
voire	vraiment; à vrai dire; et même
ne . . . guère	à peine (il ne parle guère français = il parle à peine français)
que je fasse	forme du subjonctif de *faire* (je fais)
les Montois	gens qui habitent au village du Mont-Saint-Michel
qu'on vienne	forme du subjonctif de *venir* (on vient)
renseignements	informations
le lendemain	le jour après
C.D.E.C.E.	Centre de Documentation d'Espionnage et de Contre-Espionnage
bavard	qui parle beaucoup
démarrer	commencer à rouler
allonger	aller au long de
trajet	court voyage
que nous sachions	forme du subjonctif de *savoir* (nous savons)
puissant	fort

II. Exercices terribles

A. Pendant que Desmoulins et Lambert débarquent de l'avion, essayons un peu de répondre à quelques questions qui vont nous montrer ce que nous comprenons de la deuxième partie.

1. Qui s'est présenté devant la porte du professeur Desmoulins?
2. Qui est Desmoulins?
3. Pourquoi n'était-il pas possible à n'importe qui de pénétrer dans l'immeuble de Desmoulins?
4. Qui est Lambert? Décrivez-le.
5. Pourquoi Lambert voulait-il parler à Desmoulins à l'intérieur?
6. Comment Desmoulins connaissait-il Dupuy?
7. Comment est-ce que la Sûreté a pu trouver Desmoulins?
8. Pourquoi l'affaire est-elle devenue plus sérieuse?
9. De quelles connaissances spécialisées de Desmoulins était-il question?
10. Était-il question de ressusciter Dupuy? De quoi donc?
11. Pourquoi Desmoulins a-t-il d'abord refusé de coopérer?
12. Et pourquoi a-t-il enfin accepté de collaborer?
13. Quand sont-ils partis pour la France? Comment? D'où?
14. Quelle était la vraie profession du chauffeur?
15. Pourquoi est-ce qu'il n'y avait que deux passagers dans la cabine de première classe?
16. Qu'est-ce qu'il y avait dans la valise brune de Desmoulins?

B. Oh! Il faut m'excuser! Je vous ai donné des explications au *Vocabulaire* comme:

que je fasse forme du subjonctif de *faire* (je fais)

mais je ne vous ai pas encore expliqué ce que c'est que le *subjonctif*! Eh bien, regardez ces phrases:

Elle fait des recherches sérieuses.
Il revient en France.
J'apporte mes talismans puissants.

Ce sont des phrases simples, où il n'est pas question du *possible*, de la *doute*, des *émotions*, des *désirs*, etc. Pourtant, si nous commencions ces phrases par certaines expressions, nous devrions changer la forme des autres verbes. Mais voilà des exemples. Employons l'expression *voulez-vous que*. Après cette expression il faut mettre une forme du subjonctif.

Voulez-vous qu'elle *fasse* des recherches sérieuses?
Voulez-vous qu'il *revienne* en France?
Voulez-vous que j'*apporte* mes talismans puissants?

Ou, encore, employons l'expression *ils insistent pour que*.

Ils insistent pour qu'elle *fasse* des recherches sérieuses.
Ils insistent pour qu'il *revienne* en France.
Ils insistent pour que j'*apporte* mes talismans puissants.

Ce n'est pas trop compliqué. Mais vous êtes en train de vous demander peut-être comment on trouve ces formes du subjonctif. Eh bien, ça, c'est simple comme bonjour: cherchez la forme *ils* du présent, détachez *-ent*, et ajoutez les términaisons:

verbe *lire* –

ils lis~~ent~~:	que je lis*e*	que nous lis*ions*
	que tu lis*es*	que vous lis*iez*
	qu'il lis*e*	qu'ils lis*ent*

Oh, oui, il y a des exceptions, mais oublions-les pour maintenant. Voilà quelques expressions qui se suivent du subjonctif:

vouloir (désirer) que
insister pour que
craindre que
douter que
il faut (il est nécessaire) que
il est bon (juste, mauvais, possible) que
être content (heureux, malheureux) que
avoir peur que
jusqu'à ce que
pour que (afin que)
avant que

Mais assez, assez! Alors, employez l'expression entre parenthèses devant chaque phrase, et faites le changement nécessaire.

1. Nous entrons dans la crypte. (Elle veut que)
2. Ils finissent les excavations. (Dupuy insiste pour que)

3. Je lis le télégramme. (Lambert doute que)
4. Vous trouvez la solution. (Il est possible que)
5. L'avion atterrit à Guadeloupe. (Il est mauvais que)
6. Tu réponds si mal! (Je regrette que)
7. Elle lui écrit. (Nous doutons que)
8. Nous arrivons en France. (Nous allons dormir jusqu'à ce que)
9. Il vous attend à la gare. (Je lui ai laissé un message afin que)
10. Je sors. (Racontez-moi cette histoire avant que)

C. Très bien fait! Je vous ai dit qu'il existe des formes irrégulières, n'est-ce pas? Eh bien, en voilà un petit groupe, les verbes qui ont un *radical* irrégulier, mais les terminaisons restent les mêmes:

faire: que je fasse, que tu fasses, qu'il fasse,
que nous fassions, que vous fassiez,
qu'ils fassent

pouvoir: que je puisse, que tu puisses, qu'il puisse,
que nous puissions, que vous puissiez,
qu'ils puissent

savoir: que je sache, que tu saches, qu'il sache,
que nous sachions, que vous sachiez,
qu'ils sachent

Eh bien, employez l'expression entre parenthèses devant chaque phrase, et faites le changement nécessaire.

1. Je fais? (Que voulez-vous que)
2. Elle le sait? (Comment voulez-vous que)
3. Nous pouvons lui rendre visite. (Je doute que)

4. Vous savez la réponse. (Il est bon que)
5. Ils font des recherches. (Il faut que)

D. Vous travaillez toujours très bien. Alors, je vais vous dire qu'il existe un groupe de verbes qui ont *deux radicaux* au subjonctif: le premier pour les formes *je*, *tu*, *il/elle*, *ils/elles*; le deuxième pour les formes *nous*, *vous*. En voilà quelques exemples:

verbe	*premier radical*	*deuxième radical*
aller	que j'aille, que tu ailles, etc.	que nous allions, que vous alliez
boire	que je boive, que tu boives, etc.	que nous buvions, que vous buviez
devoir	que je doive, que tu doives, etc.	que nous devions, que vous deviez
prendre	que je prenne, que tu prennes, etc.	que nous prenions, que vous preniez
venir	que je vienne, que tu viennes, etc.	que nous venions, que vous veniez

Vous allez remarquer que le radical *nous/vous* donne une forme qui est identique aux formes *nous/vous* de *l'imparfait*. Compris? Bon! Employez l'expression entre parenthèses devant chaque phrase, et faites le changement nécessaire.

1. L'autobus vient. (Est-il possible que)
2. Vous revenez tôt. (Il est nécessaire que)

3. Elle boit seulement du vin. (Je doute que)
4. Nous buvons du café. (Voulez-vous que)
5. Je dois rentrer avant minuit. (Elle est malheureuse que)
6. Vous devez le rapporter à la police. (Il insiste pour que)
7. Tu prends le cadavre. (J'ai peur que)*
8. Nous prenons les talismans. (Il faut que)
9. Elle va au Mont-Saint-Michel. (Nous attendons jusqu'à ce que)
10. Vous allez avec nous? (Nous sommes contents que)

E. Et enfin, il y a les verbes *avoir* et *être* dont les formes et les terminaisons sont un peu irrégulières:

avoir	*être*
qu j'aie	que je sois
que tu aies	que tu sois
qu'il ait	qu'il soit
que nous ayons	que nous soyons
que vous ayez	que vous soyez
qu'ils aient	qu'ils soient

Voilà le dernier exercice! Employez l'expression entre parenthèses devant chaque phrase, et faites le changement nécessaire.

1. Je suis à Paris. (Il faut que)
2. Elle a peur. (Il ne faut pas que)

*Quand on emploie l'expression *avoir peur que*, il est de bon style (mais non pas obligatoire) de mettre le mot *ne* avant le verbe au subjonctif: "J'ai peur que tu *ne* . . ."

3. Nous sommes fatigués. (Elles doutent que)
4. Vous avez faim? (Allons manger avant que)
5. Ce sont des espions. (Ma femme ne croit pas que)

Eh bien, assez d'exercices, n'est-ce pas? Retournons en France pour voir comment Desmoulins et Lambert vont combattre la Terreur!

III. La merveille de l'ouest

L'aéroport Charles de Gaulle était tout à fait moderne, très dernier cri en ses décors, mais pourtant impersonnel. Tous ces aéroports d'acier et de vitre se ressemblaient tellement, selon Desmoulins, qu'on avait souvent de la peine à se rappeler exactement où l'on était. En tout cas, l'inspecteur Lambert et Desmoulins sont descendus de l'avion les premiers et n'avaient que peu de temps à contempler les bâtiments qui formaient l'aéroport. Il était huit heures du matin, mais le soleil de l'été se cachait derrière d'immenses nuages sombres.

Les deux hommes ont passé à la douane sans délai. Par habitude, Desmoulins s'est mis à suivre les voyageurs qui sortaient du Hall des Arrivées au grand air pour chercher des taxis ou les voitures des amis qui les attendaient. Cependant, Lambert lui a pris le bras et l'a dirigé vers un escalier tout près. Ils sont ainsi descendus à l'aérogare qui se trouvait au sous-sol. Là, il y avait des *rapides*—des trains express tout neufs—qui partaient chaque quart d'heure et qui rattachaient l'aéroport à la capitale. Une grande foule s'était rassemblée sur le quai.

— Quoi donc? On prend le train comme tout le monde? J'aurais cru qu'une limousine de votre bureau nous attendrait là-haut, comme dans les romans d'espionnage! a lancé Desmoulins en riant.

— Une telle voiture aurait averti les reporters. Il faut éviter de la publicité, lui a répondu Lambert d'un ton sec.

Le rapide était propre—naturellement, pensait Desmoulins, qui avait pris l'habitude de remarquer la propreté des choses pendant son séjour aux États-Unis; là-bas, on s'attendait à souffrir la saleté des transports en commun. En montant dans le train, il a remarqué que les voitures ont été construites par la compagnie Budd, à Philadelphie!

Le trajet de Roissy à Paris était assez court: vingt minutes et ils sortaient de la station place de la Concorde. Tout avait changé! Desmoulins se sentait un peu perdu dans ce Paris américanisé, ou plutôt, comme le disaient les jeunes, ce Paris *cocacolonisé*.

— Par ici, Monsieur, lui a dit Lambert. Ils sont montés dans un taxi, ont parcouru à peine un kilomètre et puis sont arrivés à un petit hôtel discret rue de Lavallière.

— Nous descendons ici, Inspecteur?

— C'est ça, Monsieur. Je sais bien que ce n'est pas le Ritz, mais c'est plus commode. Nous aurons des visiteurs cet après-midi, et il ne faut pas que des reporters viennent nous déranger.

Ils avaient trois chambres au deuxième étage: deux

chambres à coucher et un salon. Desmoulins a défait sa valise, puis il s'est allongé sur le lit afin de se reposer. Un voyage transatlantique est toujours fatigant.

Il a dû s'endormir.

— Professeur! Il y a des gens qui désirent vous parler.

Ces mots de Lambert ont réveillé Desmoulins assez brutalement. Pour un instant il ne comprenait plus où il était. Il ne savait plus si c'était la nuit ou le jour. Puis les détails de sa situation lui sont revenus.

— Je viens tout de suite, Inspecteur, a répondu Desmoulins. Il s'est rhabillé et a ouvert la porte qui menait au salon.

— Ah, vous voilà, Professeur! Permettez-moi de vous présenter nos visiteurs distingués: Docteur Philippe Bérenger, que vous connaissez déjà, Professeur Mireille Danton, directrice de l'excavation au Mont-Saint-Michel, et son collaborateur, Jean-Luc Lenormand.

— Enchanté, Mademoiselle, un plaisir, Monsieur. Philippe, je suis bien heureux de te revoir!

A vrai dire, Desmoulins était tout à fait enchanté de la beauté du professeur Danton. Quelle jolie fille! Les cheveux blonds de soleil, le visage clair, les yeux lumineux, et, qui plus est, elle était bien taillée, diantre! A part le mystère de la mort du docteur Dupuy, ce travail devait être bien intéressant.

Par contre, Jean-Luc Lenormand ne l'impressionnait pas du tout. Il avait l'air un peu sournois, les paupières toujours mi-closes, et il regardait Mireille Danton avec autant d'attention que Desmoulins.

Pendant quatre heures ces trois savants parlaient à Desmoulins de ce qui était arrivé au Mont-Saint-Michel, toujours d'un ton assez grave. Apparemment, la police n'avait aucun espoir de trouver le coupable du crime, ni de pouvoir annoncer une solution du mystère. Elle a dû révéler—grace aux efforts persistants des reporters—qu'on avait découvert le cadavre déchiré du professeur Dupuy dans l'Abbaye du Mont-Saint-Michel, et qu'il y avait de bonnes raisons pour craindre un crime plutôt diabolique. Donc, surtout à cause des éléments bizarres du crime, on voulait tout garder loin du grand public, et même les savants assis devant Desmoulins n'en savaient vraiment un beau rien.

Malheureusement, le solstice d'été venait, la plus puissante de toutes les anciennes fêtes magiques. C'était à cette fête, selon les adhérents du culte druidique qui la célèbrent toujours, que tous les pouvoirs des mystérieux Anciens sortent de leurs endroits cachés. On avait donc peur que ce pouvoir au Mont, si longtemps endormi sous l'Abbaye, ne se relève pour détruire les gens tout autour.

— Par contre à ce que pense Bérenger, disait Lenormand, moi, je n'y vois rien que des forces naturelles. Laissons de côté toutes ces légendes du Moyen Âge!

— Mais non, pas du tout! lui a répondu Bérenger, plein de passion. La légende du Mont-Saint-Michel nous dit bien clairement qu'au Moyen Âge le diable lui-même est venu s'installer au sommet de la montagne pour lancer son défi infernal au ciel. On nous raconte comment l'archange Michel est descendu du ciel pour combattre le diable, comment il était victorieux et comment il a pu repousser le diable en arrière jusqu'en enfer.

— Pouah! Ça, ce n'est pas de la science!

— Peut-être pas, Lenormand, a dit Desmoulins, mais il y a souvent une vérité cachée sous ces anciennes légendes. Moi, je voudrais bien rendre visite au Mont-Saint-Michel. Quand pourrons-nous le faire, Inspecteur?

— Tout de suite, si vous voulez. Il y a des gens très haut placés qui voudraient tout faire pour assurer votre succès.

Alors, les trois collaborateurs ne pouvant pas les accompagner tout de suite, Lambert et Desmoulins sont partis seuls. Ils ont pris le train Paris-Rennes de cinq heures du soir. A Rennes, ils ont dû passer la nuit dans un petit hôtel de province, puis ils ont pris l'autorail qui les menait à Dol. Ce jour-là, quand ils sont arrivés à Dol, il pleuvait et il faisait très mauvais temps.

A Dol, enfin rassurés qu'il n'y avait aucun reporter aux alentours, ils sont montés dans une voiture de la police pour parcourir les quelques kilomètres jusqu'à la barrière qui bloquait la route. Un des agents s'est approché de la voiture.

— Je suis l'inspecteur Lambert de la Sûreté. Qu'est-ce qu'il y a?

— C'est que personne n'est autorisé à s'approcher des environs du Mont-Saint-Michel.

— Pourquoi? lui a demandé Desmoulins.

— Je ne sais exactement pas, Monsieur. On nous a dit de nous établir ici afin d'arrêter toute circulation en direction du Mont.

— Ça doit être bien grave, a murmuré Lambert à Desmoulins. Puis, à l'agent: Laissez-nous passer. Nous devons nous y rendre au plus tôt.

— Bien sûr, Monsieur l'inspecteur! Henri! Prends l'autre voiture et emmène ces deux messieurs au commissaire.

Pendant le trajet, Lambert et Desmoulins ne se sont rien dit, mais chacun pensait sans doute que l'heure arrivait où la Terreur allait se montrer plus terrible qu'auparavant, plus puissante que les hommes qui se groupaient devant le Mont-Saint-Michel pour défendre la France contre cet envahisseur infernal. Apparemment, jusqu'à ce point la Terreur n'avait pas pu s'échapper complètement de sa prison, car elle restait toujours tout près du mont.

Arrivés au groupement d'humbles tentes qui formaient le front contre cette Terreur inconnue, Lambert et Desmoulins se sont tout de suite dirigés vers l'endroit où se trouvait le commissaire.

— Ce n'est plus le seul problème de la police, disait-il à haute voix au micro, nous avons besoin de l'armée! Qu'est-ce que je peux faire ici avec vingt gendarmes et quelques mitraillettes? Je n'y comprends peut-être rien, mais je vous assure qu'il s'agit des événements bizarres au Mont-Saint-Michel! Vous vous rendez bien compte de ce qui est arrivé aux moutons des Montois? Douze troupeaux de beaux moutons—disparus! Non, c'est pire: on a découvert les squelettes des moutons, c'est tout. Il y avait cette espèce de sale brouillard qui est descendu sur eux, qui les a cachés de vue, et puis, c'étaient des squelettes. Un berger s'est apparemment sauvé du brouillard, mais il est devenu fou un peu après. Nous essayons toujours de retrouver quatre autres bergers.

Enfin, cette malheureuse conversation terminée, Lambert s'est présenté au commissaire et ensuite lui a présenté Desmoulins. C'était à ce moment qu'ils ont appris que tous les Montois s'étaient sauvés du village, avaient quitté leur rocher ancien à cause des événements devenus trop terribles à supporter. Ils les entendaient parler:

— Nous, on nous a jetés hors de la maison! Mais

nous n'avons vu personne . . . rien! Quelque force est entrée dans la maison et puis, nous voilà en pleine rue!

— Toute la vaisselle, on l'a cassée, ou elle s'est cassée toute seule, je ne saurais pas vous dire ce qui est arrivé!

— On a enlevé mes chats! Tous mes beaux chats!

— Et quels cris horribles on entendait partout! Ça m'a fait geler le sang!

— Apparemment, disait le commissaire à Lambert et Desmoulins, ça commençait hier soir juste après le coucher du soleil. Il y avait un petit vent, très froid, qui sortait de l'abbaye en haut et qui descendait vers le village. Il était bien bizarre, ce vent. On dit qu'il portait une sorte de brouillard bleu-gris. D'après les villageois, ce vent devenait de plus en plus fort, jusqu'au moment où enfin il secouait terriblement les maisons. Il y avait bien du bruit partout, et nous avons toujours à retrouver quatre gens du village.

— Ceci va vous paraître un peu étrange, peut-être, mais est-ce que je pourrais pénétrer dans l'abbaye? a demandé Desmoulins au commissaire.

— Cela dépend. Que dit la Sûreté?

— C'est la raison pour laquelle nous sommes ici, lui a répondu Lambert.

— Eh bien, puisque vous avez la permission de la Sûreté, je ne vais certainement pas vous défendre d'y aller. Pourtant, je vous dis de faire toujours attention là-bas!

— Une autre chose, a poursuit Desmoulins. Si je comprends bien, vous avez fait copier le texte mystérieux qui se trouvait au bord du sarcophage découvert par le docteur Dupuy.

— Oui, c'est vrai. Voudriez-vous bien le voir?

— S'il vous plaît. Il se peut que je puisse y trouver quelque indication qui nous mènera à une piste sérieuse.

Le commissaire leur a montré une feuille où étaient dessinés les symboles mystérieux. Il a fallu à Desmoulins quelques minutes avant de reconnaître la signification des symboles.

— Ce sont les symboles secrets du grand sorcier Marcovache! Il n'existe qu'une seule copie de ces symboles au monde!

— Mais qu'est-ce que ça veut bien dire?

— Je ne sais pas encore; la langue m'est un peu étrangère. Je devrai consulter Bérenger. C'est lui qui est expert en ces matières. Voyons, je veux absolument me rendre au mont, à l'endroit exact où l'on avait découvert ce message.

Alors, seulement une heure avant le coucher du soleil, Lambert et Desmoulins ont quitté le camp des gendarmes et se sont dirigés vers le Mont-Saint-Michel qui se dressait là, juste devant eux, sombre et terrible.

Jeux sérieux de la troisième partie

I. Vocabulaire

la propreté	qualité de ce qui est propre
la saleté	qualité de ce qui est sale
cocacolonisé	mot dérivé de *coca cola* et *colonisé*; ce qui est devenu américain
s'allonger	s'étendre (familier)
se rhabiller	s'habiller encore une fois
diantre!	mot qui marque la surprise

bien taillée	(d'une femme) qui a la belle forme
mi-clos(e)	fermé(e) à moitié
un beau rien	rien du tout
aux alentours	près; tout près
la circulation	mouvement des voitures
le micro	le microphone
la vaisselle	les assiettes, les tasses, etc.
geler	se transformer en glace
la piste	trace laissée par un animal ou une personne

II. Exercices sérieux

A. Voilà quelques questions intéressantes. Fournissez-y de belles réponses!

1. Décrivez l'aéroport De Gaulle.
2. Pourquoi n'a-t-on pas fait envoyer une voiture spéciale pour prendre Lambert et Desmoulins à l'aéroport?
3. Comment se sont-ils rendus à Paris?
4. Quelle différence Desmoulins a-t-il remarquée entre les transports en commun américains et français?
5. Pourquoi Lambert a-t-il choisi un petit hôtel discret?
6. Qui étaient les visiteurs?
7. Selon Lenormand, il était question de quelles forces au Mont-Saint-Michel?
8. Selon la légende, qui est venu s'installer au Mont-Saint-Michel?
9. Et qui est descendu se battre contre cet habitant infernal?
10. Quel était le résultat de ce combat?

11. Pourquoi Lambert et Desmoulins sont-ils allés seuls au Mont-Saint-Michel?
12. Qu'est-ce qu'il y avait à quelques kilomètres de Dol? Pourquoi?
13. Qu'est-ce qui est arrivé aux Montois?
14. La Terreur, qu'a-t-elle fait jusqu'ici?
15. Et quelle apparence avait-elle, la Terreur?
16. Où est-ce que Desmoulins voulait se rendre? Pourquoi?

B. Cherchez le mot juste. Servez-vous de l'histoire si c'est nécessaire!

Après avoir -------- (1) à la douane, Lambert et Desmoulins ont -------- (2) le rapide vers Paris. Desmoulins trouvait que tout avait -------- (3); il se -------- (4) un peu perdu dans un Paris -------- (5). Ils ne descendaient pas à un grand hôtel. C'était plutôt un -------- (6) hôtel -------- (7). Là, ils ont reçu des -------- (8) assez distingués. Le docteur Bérenger voyait une vérité -------- (9) sous les anciennes -------- (10) du Mont-Saint-Michel.

C. Ça vous a plu, l'exercice **B**? Bon! Nous allons en faire un autre de la même sorte. Pourtant, ici il est seulement question de mettre la forme correcte ou d'*avoir* ou d'*être*. Dans le passage suivant, employez le verbe auxiliaire au temps présent:

Lambert et Desmoulins -------- (1) partis seuls pour le Mont-Saint-Michel. Ils -------- (2) pris le train

Paris-Rennes. Arrivés enfin à Dol, ils ________(3) montés dans une voiture et ils ________(4) allés à la barrière qui bloquait la route. Là, un des agents s'________(5) approché de la voiture. Il leur ________(6) posé des questions. Ensuite, Lambert et Desmoulins se ________(7) dirigés vers le Mont. Pendant le trajet, ils n'________(8) rien dit. Près du Mont, ils ________(9) trouvé le commissaire. Ils lui ________(10) donné la permission de se rendre au Mont.

D. Vous connaissez déjà très bien ce que c'est que le subjonctif d'après les exercices de la deuxième partie. Alors, il ne va certainement pas vous surprendre de savoir qu'il existe aussi un passé composé du subjonctif? Sa formation, c'est simple comme bonjour: au lieu d'employer la forme ordinaire d'*avoir* ou d'*être*, on emploie simplement la forme du subjonctif présent de ces verbes auxiliaires. Par exemple:

j'ai parlé	Elle doute que j'*aie* parlé.
tu as parlé	Elle doute que tu *aies* parlé.
il a parlé	Il se peut qu'il *ait* parlé.
nous avons parlé	Croyez-vous que nous *ayons* parlé?
vous avez parlé	Je doute que vous *ayez* parlé.
ils ont parlé	Je m'étonne qu'ils *aient* parlé.

Ici, dans cet exercice, nous allons considérer seulement les verbes conjugués avec *avoir*. Mettez la proposition entre parenthèses devant la phrase et faites les changements nécessaires.

1. Ils ont trouvé la solution du crime. (Les reporters doutent que)
2. Vous avez ouvert le sarcophage. (C'est dommage que)
3. La Terreur a pris tous les chats du village. (La police s'étonne que)
4. Nous avons déchiffré le message. (Il ne croit pas que)
5. L'inspecteur a fait une faute sérieuse. (J'ai peur que)
6. J'ai entendu les cris des gens. (Il est possible que)
7. Tu as pu les voir. (Je ne crois pas que)
8. Vous n'avez pas répondu au monstre. (Il est bon que)
9. Les visiteurs ne m'ont pas expliqué la légende. (Je suis bien triste que)
10. Vous avez oublié le danger. (Il se peut que)

E. Quoi? Vous aviez peur que nous n'allions oublier les verbes conjugués avec *être*? Jamais! Mettez alors la proposition entre parenthèses devant la phrase et faites les changements nécessaires. (Pour les formes du subjonctif présent du verbe *être*, voyez la page 154.)

1. Ils sont déjà sortis. (Je m'étonne que)
2. Elle est revenue du Mont. (Est-il possible que)
3. Vous êtes revenu très tôt. (Nous doutons que)
4. La Terreur est sortie du sarcophage. (On a peur que)
5. Je me suis approché de l'excavation. (Elle est fâchée que)

6. Les gendarmes sont montés avant nous. (Il est bon que)
7. Nous nous sommes dirigés vers la crypte. (Il n'est pas vrai que)
8. Les Montois sont arrivés apeurés. (Le commissaire s'étonne que)
9. Vous ne vous êtes rien dit. (Est-il vrai que)
10. Je suis rentré très tard. (Il se peut que)

Eh bien, c'est tout pour les exercices! Retournons au Mont-Saint-Michel pour voir si l'on pourra vaincre la Terreur!

IV. La Terreur déchaînée

Pas à pas, assez lentement, Desmoulins et Lambert s'approchaient de la chaussée qui menait au village de Mont-Saint-Michel. Devant eux, derrière les murailles si fortes, il n'y avait plus personne. En effet, la scène, à cette heure avancée, avait toutes les qualités d'un cauchemar: les vieilles maisons vidées par la peur, les étroites petites rues désertes, le silence menaçant qui semblait rayonner de l'abbaye, la mer lointaine à la marée basse sombre et troublée. Un frisson de peur parcourait Desmoulins. Il avait toujours un peu peur au début d'une aventure surnaturelle, mais cette fois-ci, il s'agissait d'une terreur tout à fait inconnue.

— Rappelez-vous, Professeur, que nous devrons quitter le Mont avant que le soleil se couche, a lancé Lambert dans le silence qui les entourait.

— Il me faudra assez peu de temps, une fois arrivé à la crypte, je vous l'assure. Tout de même, dépêchons-nous.

Ils sont montés jusqu'au sommet, à l'entrée de l'abbaye. Là-haut, ils ont suivi la route du défunt docteur Dupuy, en descendant à la crypte, puis à la sous-crypte, jusqu'au terrible tombeau d'où sortait tous les soirs la Terreur.

En perçant l'obscurité de la chambre, les faisceaux de leurs lampes de poche sont tombés sur une dalle qui était par terre à côté du sarcophage ouvert. C'était le couvercle que Dupuy, dans sa folie, avait ôté du sarcophage avec tant d'effort. Tremblant de peur, Desmoulins lisait l'avertissement effroyable qui était gravé en latin sur la dalle.

Lambert, qui examinait la crypte à la lumière de sa lampe de poche, a remarqué un groupe de symboles étranges inscrits sur un des côtés du sarcophage.

— Eh, Professeur, qu'est-ce que c'est que ça?

Desmoulins s'est mis à examiner la découverte de l'inspecteur. Il regardait minutieusement l'inscription pendant que Lambert, inquiet, jetait des coups d'œil anxieux tout autour. Il se rappelait, lui, des photos du cadavre de Dupuy. Quelle horreur! C'était presque insupportable—un cadavre tout déchiré comme si quelque énorme bête sauvage l'avait pris entre ses griffes en s'amusant cruellement de la fragilité humaine. Lambert croyait voir alors des ombres menaçantes dans tous les coins de la crypte.

— Voilà, j'y suis! a crié soudain Desmoulins. Ces symboles-ci parlent d'une manière de combattre la Terreur! Alors, il nous faut. . . .

Tout comme Desmoulins parlait, les yeux de l'inspectateur se fixaient avec horreur sur le fond du sarcophage. Un brouillard bleu-gris sortait de l'ouverture, se dressait juste devant eux et commençait à remplir la pièce.

— Sauvons-nous d'ici, Professeur! La Terreur revient!

Comme il prononçait ces mots pleins de peur, l'inspecteur poussait Desmoulins vers l'escalier.

— Laissez-moi, Lambert! s'est écrié Desmoulins. Je dois chercher l'endroit où se trouvent les instructions. Si je ne réussis pas, ce sera peut-être trop tard. D'après les symboles que j'ai pu lire, il doit y avoir une épée juste devant nous, sur le mur derrière le sarcophage.

— Faites vite vos études! Je ne veux pas rester ici plus longtemps! Quant au mur, je ne vois qu'une croix dorée. . . .

Mais Desmoulins avait déjà traversé la pièce, bien qu'elle se soit remplie de brouillard, et restait fixé devant la croix. Tout à coup, d'un mouvement assez brusque, il a saisi la croix, l'a tirée.

— C'est une épée! s'est exclamé Lambert, étonné.

— Ça y est! Tenez-la, Inspecteur. Il y a aussi une boîte dorée ici et dedans . . . il y a un cahier plein de symboles. Il me faudra les lire.

A ce moment un vent très froid se faisait sentir dans la crypte et un bruit monstrueux se faisait entendre.

— Remontons! Vous pourrez tout traduire à Dol ou à Rennes!

Desmoulins se laissait entraîner et remontait le petit escalier de pierre sans y penser. Il regardait les pages du cahier secret. Ils étaient arrivés encore une fois à l'étage principal de l'abbaye quand tout l'édifice a tremblé. Un hurlement infernal remplissait tout le Mont.

— Un îlot! Il nous faut trouver l'îlot mentionné ici! a crié Desmoulins.

— Mais d'abord il nous faut regagner le camp! Courez!

Sans hésiter, ils se sont mis à courir à travers les rues étroites du village ancien. Ils avaient à peine le temps de regagner la chaussée qui rattache le Mont au continent que la Terreur n'est descendue encore une fois sur le village. Ils devaient courir à toutes jambes, car c'était maintenant une question de vie ou de mort. Enfin ont-ils regagné le camp des policiers. Pourtant, même ce camp n'offrait vraiment plus de protection contre la Terreur. Le brouillard et les cris terribles y sont entrés un peu plus tard, et tout le monde devait fuir.

Lambert n'a pas tardé à réquisitionner un hélicoptère et lui et Desmoulins se sont envolés vers Saint-Malo où la vedette *Le Cerf* les attendait. Ils portaient toujours entre eux l'épée et la boîte dorées. En même temps, les militaires entouraient le Mont-Saint-Michel.

Pendant le vol, Lambert avait l'occasion d'apprendre ce que disait le cahier.

— Alors, il est question de trouver une certaine petite île près du Mont?

— Exactement. Nous connaîtrons l'île par sa formation et par sa position. Quant au texte, le voilà:

«On m'appelle ici Michel. Je m'appelle vraiment Caridin. Peu importe qui je sois ou d'où je vienne. C'est moi qui ai refermé ce trou entre les univers. Il s'agit là-bas, non pas d'un démon, mais plutôt d'une puissance qui existe hors de votre univers coutumier. Vous qui lisez mes mots, comprenez ceci: on ne doit jamais ouvrir ce sarcophage de nouveau. La puissance qui est renfermée là-dedans pourra détruire votre monde. Si, par hasard ou par méchanceté, l'ouverture est de nouveau découverte, il faudra me rappeler tout de suite. Procédez ainsi: allez au mur derrière le sarcophage où il y a une croix . . .»

— C'est tout?

— Non, mais pour le reste, ce ne sont que les directions que nous allons suivre tout à l'heure. Je vous assure que je sais maintenant ce qu'il faudra faire.

— Ce que je ne comprends pas, Professeur, c'est que nous n'avions jamais rien trouvé à l'abbaye auparavant—rien d'étrange, je veux dire.

— Oui, mais rappelez-vous que ce message nous parle à travers les siècles. On a détruit et reconstruit l'abbaye plusieurs fois. Petit à petit la pièce du sarcophage s'était perdue dans l'édifice actuel.

L'hélicoptère avait déjà atterri sur le quai. Desmoulins et Lambert sont allés à bord de la vedette. Le capitaine du bâtiment, Geffroi Lamoureux, les a salués du pont. Ils y sont montés tout de suite.

— *Le Cerf* est à votre disposition, Messieurs! Elle n'est peut-être pas grande, mais elle est rapide et mes hommes sont fiers d'elle.

— Merci beaucoup, mon capitaine, lui a répondu Lambert. A présent, dirigeons-nous vers le Mont-Saint-Michel en toute hâte.

Alors, *Le Cerf* a quitté Saint-Malo, a tourné à droite et s'est dirigé vers le Mont en suivant la côte. Comme elle s'approchait de la Baie du Mont-Saint-Michel, la vedette a annoncé sa position et puis sa radio a cessé de fonctionner! La Terreur annulait toute communication!

– Comme vous voyez, Inspecteur, le brouillard couvre complètement le Mont et descend vers la mer. La Terreur est beaucoup plus forte maintenant. J'espère que nous arriverons à temps.

– Et votre îlot, le voyez-vous, Professeur? a demandé le capitaine Lamoureux.

– Non, pas encore. Je sais la configuration que je cherche, mais . . . attendez! Le voilà! A gauche, devant nous!

Le Cerf a ralenti et s'approchait lentement du petit îlot dont la forme étrange n'avait jamais été remarquée auparavant, sauf dans quelques anciennes histoires bretonnes.

Tout près de l'îlot, la vedette s'est arrêtée et on a mis à l'eau une embarcation. Desmoulins et Lambert y sont descendus et, en faisant marcher le moteur, se sont dirigés vers l'îlot.

Une fois arrivé sur cet étrange rocher, Desmoulins s'est mis à chercher l'entrée d'une grotte cachée. Lambert a fait signe à la vedette que tout allait bien. C'était alors qu'il a remarqué que la mer devenait très agitée et que le brouillard s'approchait de l'îlot. Le capitaine Lamoureux, évidemment peureux, avait mis une plus grande distance entre son vaisseau et l'îlot.

– La voilà, notre grotte! a annoncé Desmoulins, qui y entrait comme il parlait. Apportez-moi l'épée, Inspecteur.

Dans la grotte la lumière des lampes de poche ne montrait d'abord rien d'insolite. Pourtant, dans le mur d'en face il y avait une fente juste assez grande pour laisser passer la lame de l'épée. Sans hésiter, Desmoulins a pris l'épée et l'a enfoncée dans la fente. Soudain, tout l'îlot tremblait et un bruit comme du tonnerre se faisait entendre. Les deux hommes sont tombés par terre et il leur a fallu quelques instants avant de pouvoir se relever. Le bruit de tonnerre ne s'arrêtait pas et le tremblement de terre devenait plus fort.

Desmoulins et Lambert ont enfin réussi à regagner l'entrée de la grotte et ont couru vers l'embarcation à toutes jambes. Le petit bateau était sur le point de quitter la terre quand les deux hommes y sont arrivés; ils s'y sont jetés au moment où les ondes violentes commençaient à l'enlever de la côte rocheuse. En dépit de la mer troublée, ils sont très vite retournés au *Cerf*.

– Nos moteurs ont cessé de fonctionner! leur a crié le capitaine comme ils remontaient sur le pont. Nous ne pouvons plus rien!

Soudain, juste au-dessus de l'îlot, les nuages sombres commençaient à se séparer et une lumière dorée perçait l'obscurité qu'avait apportée la Terreur. La mer est devenue calme. Les moteurs du *Cerf* se sont mis encore en marche.

– Professeur! Regardez donc là-haut! Est-ce que je rêve?

Tout le monde regardait l'endroit qu'avait indiqué Lambert. Tout là-haut, un énorme être d'une forme surhumaine descendait pour une deuxième fois vers le Mont-Saint-Michel. Il était habillé de blanc, avait le visage radieux. A la main droite il portait une épée de lumière et lui, il était plus grand que l'abbaye elle-même. Comme cet être s'approchait du Mont, le brouillard se retirait vers l'abbaye. L'air était rempli de bruits gigantesques comme ces deux forces surhumaines se heurtaient l'une contre l'autre. Les gens à bord du *Cerf* observaient une bataille dont les forces et les énergies étaient au-delà des connaissances humaines.

Petit à petit, l'être du ciel repoussait la Terreur. Elle ne pouvait plus résister à l'épée de lumière. Enfin, tout le brouillard avait disparu dans l'abbaye et la grande forme de lumière qui le poursuivait a fait un geste rapide de l'épée afin de refermer l'ouverture à cet univers de cauchemar. Puis, victorieux, ce grand être céleste s'est retourné et semblait chercher quelque chose. Apparément, ce qu'il cherchait, c'était *Le Cerf*!

– Aux armes! a crié le capitaine.

– Mais non, c'est ridicule! Que pouvons-nous faire contre celui-là? a demandé Desmoulins. Restez tranquille!

L'être de lumière est venu à côté de la vedette et, d'une voix de tonnerre, a demandé à Desmoulins:

– C'EST VOUS QUI M'AVEZ AVERTI QUE LA TERREUR ÉTAIT REVENUE?

– Oui, c'est moi. Et c'est vous, le saint Michel?

A ces mots, l'énorme être a éclaté de rire! Il trouvait ce nom bien amusant.

– OUI, C'EST MOI. POURTANT JE PRÉFÈRE CARIDIN. ALORS, AVANT DE PARTIR, IL Y A DE QUOI VOUS MENTIONNER. SOYEZ CERTAIN DE BIEN REFERMER TOUTE LA CRYPTE LÀ-BAS. CETTE OUVERTURE EST TROP DANGEREUSE. J'AI FAIT DE MON MIEUX, MAIS LA TERREUR EST MALIGNE. IL ME FAUT RENTRER MAINTENANT. JE VOUS DIS AU REVOIR. UN JOUR PEUT-ÊTRE, NOUS NOUS RENCONTRERONS PRÈS DE CHEZ MOI.

Et tout en prononçant ces derniers mots, le saint Michel-Caridin remontait dans le ciel, passait par le trou de lumière là-haut et puis: rien. Le jour était calme, il faisait encore beau.

A ce moment, un sous-officier est monté sur le pont et a donné un message au capitaine. Lui, il s'est mis à rire en montrant le télégramme à Desmoulins: TENEZ LA LIGNE! L'ARMÉE DE L'AIR ARRIVERA DANS UN QUART D'HEURE!

Aujourd'hui, presque personne ne se souvient plus de l'été où la Terreur s'est échappée du Mont-Saint-Michel. Pourtant, si vous y allez un jour, soyez certain de descendre dans la Crypte des Abbés. Regardez bien le mur au fond. Vous verrez l'endroit où l'excavation du docteur Dupuy a été refermée de pierres solides. Et vous verrez aussi une croix dorée au-dessus de cette construction toute neuve. Vous et moi, nous savons de quoi il s'agit, mais les guides ne pourront rien vous en dire.

Jeux de la quatrième partie:

I. Vocabulaire

le cauchemar	rêve terrible avec sensation d'oppression
se dépêcher	aller plus vite; aller en hâte
défunt	qui est mort
J'y suis!	J'ai découvert la clef du mystère (la solution de la devinette, etc.).
s'écrier	prononcer en criant, à haute voix
doré(e)	qui a la couleur d'or (jaune sombre)
un îlot	une petite île
à toutes jambes	aussi vite que possible
la vedette	petit bateau de guerre très rapide

peu importe	ce n'est pas très important
coutumier	habituel
la méchanceté	la malice
le bâtiment	tout édifice ou bateau
en toute hâte	aussi vite que possible
ralentir	aller plus lentement
une embarcation	terme général pour désigner toute sorte de petit bateau
la grotte	caverne souterraine
peureux	plein de peur; apeuré
insolite	bizarre
être (*m.*)	tout ce qui possède l'existence
surhumain	qui est au-dessus des forces ou des qualités de l'homme
éclater de rire	rire soudain et avec bruit
malin/maligne	qui a tendance à faire des choses malicieuses; qui a une intelligence malicieuse

II. Exercices surhumains

A. Alors, vous savez maintenant pourquoi il y a cette construction neuve dans la Crypte des Abbés. Voyons si vous pourrez bien répondre à ces questions!

1. Pourquoi est-ce qu'il n'y avait plus personne au village?
2. En quoi la scène avait-elle un air de cauchemar?
3. Pourquoi un frisson a-t-il parcouru Desmoulins?
4. Avant quel événement journalier devait-on quitter le Mont? Pourquoi?

5. Dans la crypte secrète, que faisait Desmoulins? Lambert?
6. Qu'est-ce qui sortait du sarcophage?
7. Avant de fuir, qu'est-ce que Desmoulins devait chercher?
8. La croix dorée, qu'était-elle vraiment?
9. Qu'est-ce qu'il y avait dans la boîte dorée?
10. D'après le cahier, qu'est-ce qu'il leur faut trouver?
11. Les policiers, pourquoi devaient-ils se retirer?
12. Où sont allés Desmoulins et Lambert? Comment allaient-ils chercher l'îlot?
13. Qui est Caridin?
14. Pourquoi n'avait-on jamais rien trouvé d'étrange dans l'abbaye auparavant?
15. Où la vedette *Le Cerf* s'est-elle dirigée? Comment?
16. Pourquoi sa radio a-t-elle cessé de fonctionner?
17. Sur l'îlot, qu'est-ce que Desmoulins cherchait?
18. Et qu'est-ce qu'il y avait dedans?
19. Desmoulins, qu'a-t-il fait avec l'épée? Et quel en était le résultat?
20. De nouveau à bord du *Cerf*, qu'a-t-on vu dans le ciel?
21. Décrivez le combat entre Caridin et la Terreur.
22. Victorieux, qu'est-ce que Caridin a fait?
23. Quelle a été la réaction de Caridin quand Desmoulins lui a demandé s'il était le saint Michel?
24. Pourquoi le télégramme a-t-il fait rire tout le monde?
25. Qu'est-ce qu'il y a à l'abbaye aujourd'hui qui note la bataille?

B. Dans le texte, vous avez lu des phrases comme:

C'est moi qui *ai* refermé . . .
Vous qui *lisez* . . .

Comme vous voyez, la forme du verbe après *qui* dépend de l'antécédent de *qui* (moi, vous, lui, eux, le capitaine, etc.). Alors, donnez la forme juste du verbe entre parenthèses pour chaque phrase. Remarquez que les cinq premières phrases sont au *présent*, les autres au *passé composé*.

1. C'est Caridin qui __________ du ciel. (descendre)
2. Ce sont Desmoulins et Lambert qui __________ l'épée. (enfoncer)
3. C'est nous qui __________ de l'abbaye. (courir)
4. C'est moi qui __________ dans la grotte. (aller)
5. C'est elle qui __________ nous aider. (venir)
6. Ce sont eux qui __________ refermé la crypte. (avoir)
7. C'est toi qui __________ parlé à Caridin. (avoir)
8. C'est moi qui __________ descendu à la crypte. (être)
9. C'est le capitaine qui __________ salué Desmoulins. (avoir)
10. C'est vous qui __________ tombé dans la grotte. (être)

C. Sans doute, vous connaissez déjà très bien les formes du subjonctif. Alors, voilà une surprise: il y a des occasions où l'on peut éviter ces formes! Oui, c'est vrai. Regardez:

Il faut que j'aille au café.	Il *me* faut *aller* au café.
Il faut qu'elle parte.	Il *lui* faut *partir*.

Vous voyez? On met le sujet (je, elle) à la forme complément indirect (me, te, lui; nous, vous, leur) et on met le verbe à l'infinitif. C'est à vous maintenant:

1. Il faut que nous sortions.
2. Il faut qu'ils sachent la réponse.
3. Il faut que vous veniez.
4. Il faut qu'il descende.
5. Il faut qu'elles aillent.

D. Et quand il s'agit d'un complément direct? Eh bien, on le met devant l'infinitif:

Il faut que *je le lise*.	Il *me* faut *le lire*.
Il faut qu'*elle se lave*.	Il *lui* faut *se laver*.

Alors, faites la même chose avec ces phrases:

1. Il faut qu'il le dise.
2. Il faut que nous les prenions.
3. Il faut qu'elles vous comprennent.
4. Il faut que je l'essaie.
5. Il faut que vous me croyiez!

E. Et enfin, il y a un groupe de cinq verbes dont la forme du futur est irrégulière: elle a un double *r*. Regardez:

pouvoir:	*pourr-*	je pourrai	nous pourrons
		tu pourras	vous pourrez
		il pourra	ils pourront
courir:	*courr-*		
mourir:	*mourr-*		
voir:	*verr-*		
envoyer:	*enverr-*		

Alors, donnez la forme du futur pour chaque verbe en italique:

1. Elle *peut* nous trouver.
2. Je *vois* ce qu'il *voit*.
3. Qu'est-ce que vous *envoyez* au Mont?
4. Nous *courons* à la crypte.
5. Je *cours* avec vous.
6. La Terreur ne *meurt* pas.
7. Vous *mourez* de peur si vous ne courez pas plus vite!
8. J'*envoie* cette épée à Paris.
9. A Paris vous *voyez* tous les grands monuments.
10. *Pouvez*-vous aller avec nous?

Eh bien, c'est la fin des exercices! C'est aussi la fin de l'histoire! En effet, c'est la fin du livre! Merci de votre attention!

Glossary

à peine, scarcely, hardly
à travers, across, through
abus, *m.*, abuse
acier, *m.*, steel
adjoint, -e, assistant
aérogare, *f.*, air terminal
affiche, *f.*, notice; poster
afin de, in order to
agent de sécurité, uniformed guard
agir: il s'agit de, it is a question of
air: au grand air, in the open (air); **avoir l'air**, to look (like)
appuyer: s'appuyer contre, to lean against
aspect, *m.*, aspect; look
attendre: s'attendre à, to expect
au-delà (de), beyond
au-dessous de, below
au-dessus de, above
auparavant, before, previously
autel, *m.*, altar
autocar, *m.*, bus (*between cities*)
autoroute, *f.*, superhighway, expressway
autour: tout autour, all around
avertissement, *m.*, warning
avertir, to warn
avoir besoin de, to need, to have need of
avoir l'air, to look (like)

le **barreau**, bar (*of a cage, etc.*)
bâtir, to build
le **besoin**, need; **avoir besoin de**, to need
le **bonhomme**, fellow, guy
le **bouleau**, birch tree
le **brouillard**, fog, mist
le **bruit**, noise

ça va sans dire, that goes without saying
Ça y est! That does it! That's all we need!
la **cabane**, cabin, hut
cacher, to hide
le **cadavre**, corpse
le **casque**, helmet
la **chaussée**, causeway
le **chêne**, oak tree

le **cloître**, cloister
le **comité**, committee
confier: se confier en, to put one's trust in
le **confrère**, colleague
connaissance: faire la connaissance de, to meet, to become acquainted with (someone)
les **connaissances**, knowledge
connaître: se connaître à, to know a lot about, to be familiar with
coup d'œil: jeter un coup d'œil sur, to glance at
la **coutume**, custom
le **couvercle**, cover, lid
creuser, to dig
la **croix**, cross

la **dalle**, (stone) slab
de près, close-up, closely
déchaîner, to unleash, to release
déchirer, to tear (up)
le **décor**, decoration
la **déesse**, goddess
la **demoiselle**, damsel
se **dépêcher**, to hurry (up)
dépit: en dépit de, in spite of
la **déposition**, (sworn) statement
dernier cri, up to date, the latest style, very fashionable
détruire, to destroy
devenir, to become
deviner, to guess
la **devinette**, riddle
disposer de, to have at hand, to have at one's disposal
divin, -ine, godlike, divine
le **donjon**, (castle) stronghold
douter (de), to doubt, to distrust; **se douter de**, to suspect
se **dresser**, to stand up, to rise up

éclairage, *m.*, (stage) lighting
écran, *m.*, screen
embêter, to annoy
émetteur, *m.*, transmitter
emplacement, *m.*, site
endroit, *m.*, place
enfer, *m.*, hell
engager, to begin; to hire
énigme, *f.*, riddle, puzzle, mystery
enlever, to remove, to take off, to carry off
s'ennuyer, to be bored
entraîner, to carry away; to lead away
entreprendre, to undertake
envahir, to invade
épée, *f.*, sword
épouse, *f.*, wife
épouvantable, frightful, terrible
érable, *m.*, maple tree

espèce, *f.*, species
essayer (de), to try (to)
être, to be; **un être**, a being
événement, *m.*, event, happening
éviter, to avoid
expérience, *f.*, experiment
s'exprimer, to express oneself

façon: **de ma façon**, in my own way
le **faisceau**, (light) beam
le **fardeau**, burden
la **fente**, crack, fissure; slot
fier (*f.* **fière**), proud
le **filet**, net
fois: **à la fois**, at the same time, simultaneously
la **folie**, madness
le **fond**, bottom
fou (*f.* **folle**), crazy
franchement, frankly, openly, freely
francophone, French-speaking
le **frisson**, shiver, shudder

gagner, to win
gaspiller, to waste, to squander
le **gémissement**, groaning (sound)
gêner, to annoy
le **gentilhomme**, gentleman
gravé, -e, etched, engraved
la **griffe**, claw
le **grincement**, grating (sound)
le **grondement**, rumbling (sound)
le **guide**, guidebook; tourist guide

heurter: **se heurter contre**, to clash
homme-singe, *m.*, caveman

ignorer, to be unaware of
immeuble, *m.*, apartment building
impressionant, -e, impressive
incomplet, -ète, unfinished
inconnu, -e, unknown
infernal, hellish
inhabité, -e, uninhabited
s'inquiéter, to get upset, to worry
insensé, -e, senseless
insister pour que, to insist that (on); **j'insiste pour qu'elle vienne**, I insist that she come (on her coming)
insupportable, unbearable

journalier, -ière, daily

la **lampe de poche**, flashlight
le **lapin**, rabbit
louer, to rent
la **lucidité**, soundness of mind

le **magnétophone**, tape recorder
le **mal**, evil
la **malédiction**, curse
malgré, in spite of, despite
le **malheur**, unhappiness; bad luck, misfortune
le **mammifère**, mammal
la **marée**, tide; **la marée basse**, low tide
marron, reddish-brown
le **marsouin**, porpoise
mener, to lead
le **métier**, trade, craft, occupation
le **micro**, microphone
la **mitraillette**, submachine gun
la **monture**, frame (for eyeglasses)
le **mouton**, sheep
le **moyen**, means, method
la **muraille**, (outside) wall

la **nageoire**, fin, flipper
net (*f.* **nette**), clean; clear, distinct
n'importe qui, anyone (at all)
le **nuage**, cloud

odieux, hateful, odious
ombre, *f.*, shadow
os, *m.*, bone
ôter, to remove, to take off
oxyde (*m.*) **de carbone**, carbon monoxide

la **paix**, peace
parents, *m. pl.*, relatives; parents
partager, to share
le **partenaire**, partner
partout, everywhere
pas à pas, step by step
la **paupière**, eyelid
la **peau**, skin
le **pinceau**, brush
pittoresque, picturesque
le **plafond**, ceiling
le **plancher**, floor
plat, -te, flat; **le plat**, broad part
la **plongée**, dive
plutôt, rather; sooner
polluer, to pollute
porter plainte contre, to lodge a complaint against
le **portier**, doorman
pourtant, however, nevertheless
le **présentateur**, announcer, speaker
presque, almost
prétendre, to claim
prévenir, to warn
la **programmation**, (computer) programming
puisque, since, seeing that
la **puissance**, power

quant à, as for
quelque part, somewhere
la **quinzaine**, about fifteen

se **rappeler**, to remember
rattacher, to link, to connect
le **rayon**, ray
rayonner, to spread out
recherches, *f. pl.*, research
reculer, to move back; to shrink from, to recoil
regagner, to reach; to get back to
remarquer, to notice
remplir une fiche, to fill out a form
rendre: **se rendre compte de**, to realize
rendre visite (à), to pay a visit (to)
renfermer: **se renfermer dans**, to withdraw into
répandu, -e, widespread
le **repas**, meal
le **requin**, shark
retirer, to pull out, to withdraw; **se retirer**, to draw back, to withdraw
réussir (à), to succeed (in)
le **rez-de-chaussée**, ground floor
la **ruse**, trick
rusé, -e, tricky; clever

la **salle de séjour**, living room
Sans blague! No kidding!
sans cesse, ceaselessly, without stopping
le **sapin**, pine tree
se **sauver**, to flee, to run away
le **scaphandre autonome**, scuba-gear, aqualung
scientifique: **en scientifique**, as (like) a scientist
secouer, to shake
le **secours**, help; rescue
selon, according to
la **serviette**, brief case
le **seuil**, threshold
le **singe**, monkey
soit, so be it, all right; (subj. form of **être**) may be
le **souci**, care, worry
souligner, to underline, to emphasize
sournois, -e, sly, sneaky
sous-marin, -ine, undersea
le **sous-marin**, submarine
le **sous-sol**, basement
soutenir, to support
le **spot**, blip (on radar screen); spotlight
le **squelette**, skeleton
surprendre, to surprise

la **tâche**, task
la **taille moyenne**, medium size; average height
taillé(e) de, carved from, cut from
tant: **en tant que**, as
tant pis, so much the worse, too bad
le **tas**, heap, pile
terrestre, terrestrial, earthly
tirer: **s'en tirer**, to pull through, to get along

le **tissu**, material, fabric
la **tournée**, round; **faire la tournée**, to make the rounds
tous les deux, both (of them, of us, etc.)
tout à fait, quite
tout de même, all the same, anyhow
tout le monde, everybody
le **trajet**, (length of) ride, drive, trip; **un trajet de 10 minutes**, a 10-minute ride (drive, trip)
trancher, to slice, to cut off
transports (*m. pl.*) **en commun**, mass transportation system

venir à l'esprit, to come to mind
vider, to empty
villageois, -e, villager
ville: en pleine ville, in the center of town
la **vitesse**, speed
le **vitre**, (pane of) glass
vivre, to live
la **voix**, voice; **à haute voix**, out loud